KB106902

중국 고전에 나타난 삶의 지혜

에스페란토 해설 노자도덕경
老子道德經
La Libro de Laŭzi

노자(老子) 지음
이영구 옮김
왕숭방(王崇芳) 에스페란토로 옮김
장정렬 에스페란토에서 옮김

진달래 출판사

에스페란토 해설 노자도덕경
인　쇄 : 2023년 6월 22일 초판 1쇄
발　행 : 2023년 6월 29일 초판 1쇄
지은이 : 노자
옮긴이
 – 에스페란토 : 왕숭방(王崇芳)
 – 중국어 : 이영구
 – 한글 : 장정렬
펴낸이 : 오태영(Mateno)
출판사 : 진달래
신고 번호 : 제25100-2020-000085호
신고 일자 : 2020.10.29
주　소 : 서울시 구로구 부일로 985, 101호
전　화 : 02-2688-1561
팩　스 : 0504-200-1561
이메일 : 5morning@naver.com
인쇄소 : ㈜부건애드(광진구)

값 : 20,000원(110CNY)
ISBN : 979-11-91643-93-0(03140)

중국 고전에 나타난 삶의 지혜

에스페란토 해설 노자도덕경
老子道德經
La Libro de Laŭzi

노자(老子) 지음
이영구 옮김
왕숭방(王崇芳) 에스페란토로 옮김
장정렬 에스페란토에서 옮김

Indekso de Gravaj Nocioj Koncernantaj la Taŭon

与"道"有关的重要概念索引

"도(Taŭo)" 와 관련한 주요 용어(개념) 색인

En tiu ĉi indekso estas listigitaj la gravaj nocioj koncernantaj la Taŭon en tiu ĉi libro de Laŭzi. Sub ĉiu el la nocioj estas liveritaj la frazoj, en kiuj la nocio aperas, kaj post ĉiu frazo estas donita la cifero inter krampoj indikanta la numeron de la ĉapitro, el kiu la frazo estas citita.

(akvo 水; Ĉielo 天; Ĉielo kaj Tero 天地; ekzisto 有; granda 大; *jin*-o kaj *jang*-o 陰陽; kvieteco aŭ senmoveco 静; malforteco 弱; malgranda 小; malplena 虚, 冲; Mistera Femalo 玄牝; mola aŭ supla 柔; Naturo 自然; neekzisto, nenio 無; Patrino 母; Saĝulo 賢人; senagado 無爲; sennoma 無名; simpla, simpleco 朴; Spirito de la Valo 谷神; Taŭo, vojo 道; Taŭo de la Ĉielo 天道; Unuo 一; valo 谷; Virto 德)

이 색인은 노자의 이 책 <노자 도덕경>의 도(**Taŭo**)와 관련된 주요 개념을 정리한 것입니다. 이 색인의 각 항목에는 그 개념이 나온 문장을 소개했고, 매 문장 뒤에 그 문장이 언급된 해당 장(**ĉapitro**)의 숫자를 괄호( ) 속에 넣어 두었습니다.

(akvo 水 물; Ĉielo 天 하늘; Ĉielo kaj Tero 天地 천지; ekzisto 有 유; granda 大 대(큰); jin-o kaj jang-o 陰陽 음양; kvieteco aŭ senmoveco 静 고요; malforteco 弱 약; malgranda 小 작음; malplena 虚, 冲 텅 빔 ; Mistera Femalo 玄牝 신비한 여성; mola aŭ supla 柔 유연한; Naturo 自然 자연; neekzisto, nenio 無 무(없음); Patrino 母 어머니; Saĝulo 賢人 현인; senagado 無爲 무위; sennoma 無名 무명(이름 없음); simpla, simpleco 朴 단순한, 소박함; Spirito de la Valo 谷神 골짜기 신(곡신); Taŭo, vojo 道 도; Taŭo de la Ĉielo 天道 천도; Unuo 一 일체, 하나됨; valo 谷 골짜기(곡); Virto 德 덕)

목 차

중국어 번역자 : 이영구

한국외국어대학교 중국언어문화학부 명예교수, 덕계 학술재단 이사장, 한국에스페란토협회 명예회장. 한국외국어대학 학내외에서 중국어과 교수, 대학원 교학처장, 중국연구소 소장, 외국문학연구소 소장, 외국어문센터장, 중국어대학 학장, 중국학연구회 회장, 한국에스페란토협회 회장, 글로벌문화콘텐츠학회 회장 등과 중국 復旦大 교환교수와 뉴욕대학 방문학자, 제102차 세계에스페란토대회 조직위원장 등을 역임했으며, Excellence in Research Award와 La Epero, 해평민족상, 녹조근정훈장(대통령) 등을 수상한 바 있다. 저서로 『안우생의 에스페란토 문학 세계』, 『에스페란토와 국제문화』, 『국제어』, 『석주명과 에스페란토』 등과 네이버 오디오클립의 『첫걸음 에스페란토』가 있다.

에스페란토로 번역자 : 왕숭방(王崇芳)

중국 강소성 진강 출신으로 중학 고급교사로 봉직했다. 1953년 국제어 에스페란토를 독습하고, 1957년 에스페란티스토가 되었다. 1959년 하얼빈사범대학 중문(中文)과를 졸업, 중학교 영어 교사로 부임했다. 나중에 강소성 에스페란토협회 이사, 부회장을 역임했다. 1991년 중국에스페란토협회 이사로 당선되었다. ≪중국보도≫ 잡지사, <외문출판사> 에스페란토부에서 278건의 원고를 번역하고, ≪모택동시사≫를 에스페란토로 번역했다.
사전 편찬에도 괄목할만한 성과를 이뤄냈다. ≪에스페란토-중국어 사전≫(1987년 출판)에 편찬자의 일원으로 참여했다。≪중국어-에스페란토 대사전≫(2007년 출간)과 ≪에스페란토-중국어 대사전≫(2015년 출판)의 편저자였다。 특히 ≪에스페란토-중국어 대사전≫는 세계에스페란토 사용자들로부터 호평을 받았다.
주요 번역 작품은 중국 4대 고전(≪대학≫, ≪중용(中庸)≫, ≪논어≫, ≪맹자(孟子≫) 은 물론이고, ≪장자(庄子)≫, ≪손자병법≫, ≪채근담≫, ≪도덕경(道德經)≫, ≪육조단경≫, ≪역경≫ 등이 있다. 그밖에도 번역작품으로 ≪낙타 상자≫, ≪주은래 전략≫, ≪중국도자사화≫, ≪에스페란토 실용 중급 교재≫ 등이 있다.

에스페란토에서 한글번역자 : 장정렬

1961년 창원에서 태어나 부산대학교 공과대학 기계공학과를 졸업하고, 1988년 한국외국어대학교 경영대학원 통상학과를 졸업했다. 현재 국제어 에스페란토 전문번역가와 강사로 활동하며, 한국에스페란토협회 교육 이사를 역임하고, 에스페란토어 작가협회 회원으로 초대된 바 있다. 1980년 에스페란토를 학습하기 시작했으며, 에스페란토 잡지 La Espero el Koreujo, TERanO, TERanidO 편집위원, 한국에스페란토청년회 회장을 역임했다. 거제대학교 초빙교수, 동부산대학교 외래 교수로 일했다. 현재 한국에스페란토협회 부산지부 회보 ‘TERanidO’의 편집장이다. 세계에스페란토협회 아동문학 ‘올해의 책’ 선정 위원.

독자를 위한 일러두기

지난 6월 중순 아침 일찍 저는 제가 사는 마을 뒤편의 동산에 올랐습니다. 『老子道德經(노자도덕경)』 번역본의 마무리 작업을 하면서, 어찌하면 독자들이 저희 공동번역본을 잘 읽을 수 있게 할까 하는 생각에 잠기어, <일러두기>를 위한 몇 자 글을 적다가 생각이 정리되지 않아, 그냥 제집의 뒤편 동산인 부산 금정산의 한 줄기인 쇠미산을 오르기 시작했습니다.

좁은 산책길이자 등산로를 따라 30분 정도 걸어보니, 사람들이 다니는 길에서 몇걸음 떨어진 우거진 수풀 사이로 딸기나무들이 여기저기 보입니다. 좀 더 자세히 다가가 보니, 초록색 넓은 잎사귀가 먼저 보이고, 나뭇가지에는 가시가 보이고, 나뭇가지 중간중간의 잎사귀 아래나 잎사귀 옆으로 귀엽고도 깜찍하고, 때로 손길을 유혹하는 튼실한 붉은 열매가 초여름 아침 햇살에 익어 가고 있었습니다. 나뭇잎이나 풀은 어제 있었던 여름 소나기도 이겨냈고, 새벽이슬도 가느다란 대나무의 여린 가지 끝을 제외하고는 거의 보이지 않았습니다. 저는 먼저 들고 있던 핸드폰 카메라로 그 귀여운 붉은 열매를 한 컷 한 컷 찍어, 핸드폰 저장공간에 담아 보았습니다. 나중에는, 그 붉은 열매 맛이 어릴 때 고향 동산에서 맛본 딸기와는 맛이 어찌 차이가 있을까 하며, 입안에 몇 알 넣어 씹어보기도 했습니다. 어떤 것은 신맛이 나고, 어떤 것은 떫은맛, 살짝 달콤한 맛도 났습니다. 몇 개의 잘 익은 붉은 열매는, 어릴 때 소년의 입 안 혀에서 느끼던 맛을 그대로 재현해놓는 듯한 느낌도 들었습니다.

그렇게 아침 산행은 산책길이자 생각을 정리하는 시간이 되어 줍니다. 번역하는 일 또한 산행과 비슷한 과정을 거칩니다.

번역할 텍스트 선택- 관련 자료 검색- 사전과의 씨름-초역-재역-삼역-컴퓨터에 번역 자료를 입력해 문장 다듬기- 출판사와의 소통- 교정-교열-인쇄-출판-독자와의 만남.

공동 역자 3인 중 저, 장정렬은 에스페란토를 국어로 번역하는 일을 주로 합니다. 독자 여러분은 에스페란토라는 언어가 처음 듣는다고 생각하시나요?

에스페란토는 저희 공동 역자 3인이 이 번역서 『老子道德經(노자도덕경)』에 함께 이름을 올린 계기가 되어 주었습니다.

에스페란토는 1887년 폴란드 안과의사 자멘호프(L. L. Zamenhof) 박사가 제안한 국제어로, 국제 교류에 있어 평등에 기초한 에스페란토(Esperanto)를 사용하자고 합니다. 이 언어는 1900년 전후로 동양에 전파되어, 중국에서는 당시 베이징대학교 총장 채원배(蔡元培, 1867~1940), 『아Q정전(阿Q正傳)』의 문학가 루쉰(魯迅), 바진(巴金), 문학가 에로센코(V. Eroŝenko) 등이 활발하게 에스페란토를 문학에 활용하여, 저술 활동을 했습니다.

우리나라에는 1920년대에 본격적으로 도입되는 데, 이는 <폐허(廢墟)>의 동인인 안서 김억(金億) 등이 국내에서 이 언어 보급 활동을 시작한 덕분입니다. 당시 동아일보와 조선일보에 에스페란토 강의가 연재되고, 에스페란토로 문학을 하는 에스페란토 사용자들이 나오기도 했습니다. 시인 정지용도 자신의 시 <이른 봄 아침>에 '새 새끼와 내가 하는 에스페란토는 휘파람이다' 라고 에스페란토를 시어로 사용하고, 일제강점기의 각종 문학 잡지 제목이 그 잡지 표지에 에스페란토로 맨 먼저 표기되기도 했습니다.

현대 중국 학자들은 중국 고전의 에스페란토 번역에 괄목할 성과를 내고 있습니다. 대표적인 인물이 리스쥔(李士俊, Laŭlum, 1923-2012) 선생님과 왕숭방(王崇芳) 선생님입니다. 리스쥔 선생은 중국 고전소설 『삼국지』, 『서유기』, 『수호지』 등을 에스페란토로 번역하였습니다. 왕숭방 선생님은 중국의 대표적 고전인 4서3경 중 4서(『논어』, 『맹자』, 『대학』, 『중용』)와 불교 경전 『육조단경』을 에스페란토로 번역하고, 『중국어-에스페란토 대사전』 등을 편찬한 학자입니다. 이번에는 『老子道德經(노자도덕경)』의 에스페란토 번역으로 이렇게 한국 독자들과 만나게 되었습니다.

가파른 오르막을 지나고, 구불구불한 오솔길을 따라 오르다 보면, 몸은 땀으로 젖게 됩니다. 그때는 이른 아침의 따뜻했던 햇볕은 이제는 더는 반갑지 않고 따갑게 여겨집니다. 그러면 숲속이 더 그립습니다. 소나무들이 여기저기 사리를 잡고 있는 숲 속에서 아름드리 소나무 한 그루를 양팔로 안아봅니다. 소나무가 저 맑은 하늘을 향해 높이 자라 올라간 그 꼭대기를 한 번 올려다봅니다. 철갑처럼 에워싼 소나무껍질의 거친 단단함 안에는 묵묵히 이 산하를 지켜오며, 그늘이 되어 주고, 숲이 되어주는 이 소나무에 대한 고마움도 느껴집니다. 다른 산등성이의 한편에는 편백 나무들이 씩씩하고 매끈하게 올라간 모습은힘들게 산을 오르는 사람에게 그 나무들이 등을 기대도 좋다는 느낌을 받기도 합니다.

이때 산들바람이라도 불면, 어릴 때 즐겨 불렀던 동요 <산바람 강바람>이 저절로 입가에서 나옵니다.

> 산 위에서 부는 바람 서늘한 바람
> 그 바람은 좋은 바람 고마운 바람
> 여름에 나무꾼이 나무를 할 때
> 이마에 흐른 땀을 씻어 준대요.

-아동문학가 윤석중(1911-2003)의 동요

그렇습니다. 『老子道德經(노자도덕경)』은 독자에게도 서늘한 바람, 좋은 바람 고마운 바람 시원한 바람으로 독자의 사회생활의 '흐른 땀'을 씻겨줄 것입니다.

그렇게 동산에 오르면서 저는 몇 곳의 샘터에서 빈 병으로 가져간 물병에 샘물을 담아 목을 축이고는, 산등성이이자 어느 산꼭대기에서 서편으로는 유유히 흐르는 구포의 낙동강을 내려다보고, 산 아래 동편에는 동래 온천도 내려다보입니다.

다시 아름드리 편백나무와 소나무 숲을 지나, 오솔길 비탈진 길을 따라, 집으로 내려옵니다.

이제 집에 도착하려면 약 20여 분의 시간이 남아 있습니다. 등산길에는 저처럼 산에서 내려가는 등산객이 있는가 하면, 아침 9시경에는 등산을 시작하는 이들이 더 많습니다. 그렇게 한 걸음 한 걸음 저는 산에서 내려오고 있었습니다. 이제 집에까지는 15분여 남았을 겁니다. 산속 길옆에 인근 주민들을 위한 운동기구들이 놓인 넓은 땅이 있습니다. 그 운동기구가 놓인 땅에는 산에 오른 주민들이 10여 개의 운동 도구에 하나둘씩 매달려 있습니다.

그렇게 길을 내려오는데, 노인 한 분이 힘들여 산을 한 걸음 한 걸음씩 올라오고 있었습니다. 평소 같으면, 이 노인의 행보는 제게 큰 관심사가 아니었습니다. 그 노인이 올라오고 저는 내려가는, 그렇게 두 사람이 서로 교행하는 시점에, 저는 노인을 조금 자세히 볼 수 있었습니다. 80대 정도의 나이로 보였고, 하지만 아직 지팡이를 짚지 않고, 약간 등이 굽은 채, 두 손엔 아무것도 들지 않은 채, 산길을 한 걸음 한 걸음 힘들여 오르고 있었습니다.

그런데, 갑자기 그분 입가에서 우리가 평소 잘 아는 시조 한 수가 들려오는 것이 아니겠습니까! 노인은 제 옆을 지나치면서 작은 소리로 혼잣말을 하시는 것입니다. 제가 귀를 기울여 들어보니, 다음의 평시조였습니다.

태산(泰山)이 높다 하지만 하늘 아래 산이로다
오르고 또 오르면 못 오를 리 없건만
사람이 자기 스스로 오르지 않고 산을 높다 하는구나.
-양사언(1517-1584)

저는 그렇게 평시조를 읊으면서 올라가는 노인의 뒷모습을 한동안 바라보면서, 노인이 혹시 다음에는 무슨 시조를 읊을까 하는 기대를 한순간 해 보았습니다. 그러나 노인은 아무 말 없이 한 걸음 한 걸음 제 길을 가고 있었습니다. "옳거니!" 저는 양사언 선생의 시조 '태산이 높다 하지만'을 이 번역본을 읽을 독자들을 위한 <일러두기>에 쓸 격려의 글로 쓸 생각을 이 자리에 했습니다. 오늘 아침에 해결하지 못한 숙제가 풀리는 느낌을 받아, 이렇게 적어 둡니다.

그렇습니다. 우리 독자인 여러분이나 저희 번역자들은 동양 고전이 그 존재만으로 우리가 알 것이 아니라, 수시로 그 고전강독을 통해 고전 속에 들어있는 사상이나 언어의 맥락을 찾아, 이를 현대 사회에 적용하고 실천하며 교양인으로 살아가고자 하는 것이 아닐까 합니다.

그래서 고전 번역을 화두로 여기 공동 역자들은 힘을 보태기로 했던 것입니다.

공동 역자 3인 또한 학교 교육 일선에서 학생들을 대하면서, 고전에 대한 이해가 깊으면, 우리 학생들이 관련 지식이나 지혜를 받아들이기가 훨씬 쉽다는 것을 깊이 느꼈습니다. 독자 여러분도 이 『老子道德經(노자도덕경)』을 국어로 또 에스페란토로 읽으면서, 노자 철학을 이해하는 단초를 찾기를 기대해 봅니다.

이영구 박사님은 『老子道德經(노자도덕경)』을 국어로 옮겼습니다. 이영구 박사님은 대만에서 유학하시고, 한국외국어대학교에서 평생 중국 어문학을 가르치셨습니다. 현재 한국외국어대학교 중국언어문화학부 명예교수로 일하고 계십니다. 이영구 박사님은 1970년대 초에 에스페란토를 학습해, 한국에스페란토협회 회장직을 수행하면서, 에스페란토 교재 발간과 에스페란토 번역에도 힘을 보태며, 후학들을 지도해 주셨습니다.

『老子道德經(노자도덕경)』 원문을 에스페란토로 옮기신 왕숭방 선생님은 중국 강소성(江蘇省) 진강(鎭江)시 중학교에서 영어 교사로 봉직한 분입니다. 진강시는 일제강점기 때 대한민국 임시정부가 잠시 머물렀고, 한국을 사랑한 노벨문학상(1938년) 수상자이자 작품 『대지(The Good Earth)』로 유명한 문학가 펄벅(Peal S. Buck:1892-1973) 여사가 어린 시절을 보낸 곳입니다. 왕선생님은 퇴임 뒤에는 에스페란토 번역에 헌신하고 있습니다. 앞서 밝혔듯이 왕 선생님은 1950년대에 에스페란토를 배워, 오늘날까지 중국의 4서3경 중 4서인 고전-『논어』, 『맹자』, 『대학』, 『중용』-을 비롯하여 불교 경전인 『육조단경』 도 에스페란토로 옮김은 물론 『중국어-에스페란토 대사전』 등을 편찬한 학자입니다.

1980년에 에스페란토를 학습한, 공동 역자 중 한 사람인 장정렬은 거제대학교에서 기계공학과 조선공학 과목을 가르친 경험이 있습니다. 장정렬은 평소 고전 강독에 관심이 있어, 2000년 부산교육대학교 사회교육원 고전강독 과정에 등록해, 『論語(논어)』, 『海東小學(해동소학)』 등을 이신성 교수님과 정길연 선생님의 지도로 학습한 바 있습니다. 장정렬 역자는 육조 혜능(惠能) 선사의 삶과 일생을 다룬 불교 경전인 『六祖壇經(육조단경)』(에스페란토 번역본)을 국어로 옮기면서, 왕숭방 선생님과의 인연이 이어졌습니다.

그렇게 이번에는 저희 공동번역자들은 『老子道德經(노자도덕경)』 번역을 통해 고전에 대한 학술교류 및 전문가로서의 역량을 실어 이 번역서에 담아 두었습니다.

에스페란토 사용자들은 세계 고전을 어떻게 인식하고, 이를 국어로 또는 에스페란토로 어떻게 번역할까 하는 점에 관심이 많습니다.

학생들을 가르친 경험이 있는 번역자들의 이 공동 번역작업은, 에스페란토 독자들이나 나아가 우리 독자들이 『老子道德經(노자도덕경)』과 같은 고전을 중국인 학자는 어떻게 현대적으로 이해하고 있는지, 또 한국인 학자는 이 고전을 어떻게 지혜롭게 활용하기를 제안하는지 엿볼 수 있게 해 주고, 젊은 세대가 『老子道德經(노자도덕경)』 이해에 있어 일말의 단서를 제공해 주리라 기대를 해 봅니다.

『老子道德經(노자 도덕경)』은 약 5,000자, 81장으로 되어 있으며, 상편 37장의 내용을 「道經(도경)」, 하편 44장의 내용을 「德經(덕경)」이라고 합니다.[1)]

여러 가지 판본이 전해 오고 있는데 가장 대표적인 것으로는 한(漢)나라 문제(文帝)때 하상공(河上公)이 주석한 하상공본과, 위(魏)나라 왕필(王弼)이 주석하였다는 왕필본 두 가지입니다.

『老子道德經(노자 도덕경)』의 사상은 한마디로 '무위자연(無爲自然)'의 사상이라고 할 수 있습니다. 유가사상이 인(仁) · 의(義) · 예(禮) · 지(智)의 덕목을 설정하여 예교(禮敎)를 강조하면서 현실적인 상쟁대립이 전제된 반면, 『도덕경』의 사상은 상쟁의 대립이 인위적인 것으로 말미암아 생긴다고 보고, 무(無)와 자연의 불상쟁(不相爭) 논리를 펴나간 것입니다. 이러한 내용의 『도덕경』의 사상은 학문적인 진리 탐구의 대상이 되기도 하였지만, 위 · 진 남북조시대처럼 사회가 혼란과 역경에 빠져 있을 때는 사람들에게 새로운 삶의 지혜를 밝

---

1) *주: [출처: 도덕경- 한국민족문화대백과사전](https://encykorea.aks.ac.kr/Article/E0015548)에 나오는 내용을 아래에 옮겨 적습니다.

혀 주는 수양서로도 받아들여졌으며, 민간신앙과 융합되면서 피지배계급에게 호소력을 지닌 사상 및 세계관의 기능을 수행하였습니다.

역사적으로는 우리나라 자료에는 『삼국사기』(권24 백제본기 2)에 삼국시대 백제의 제14대(재위:375~384) 근구수왕 즉위년조에 있었던 일이 기록되어 있다고 합니다.

근구수왕이 태자로 있을 때 침입해 온 고구려군을 패퇴시키고 계속 추격하려 하는 순간, 휘하의 장수 막고해(莫古解)가 "듣기로는 도가의 말에, 족함을 알면 치욕을 당하지 않고, 멈출 줄 알면 위태해지지 않는다고 합니다. 이제 얻은 것이 많은데 더 욕심을 내어서 무엇합니까?" 이 말을 듣고 추격이 중지되었다고 하는데, 이 구절은 『도덕경』 제44장에 나오는 말입니다. 이어 고구려의 명장 을지문덕(乙支文德)도 비슷한 내용의 시를 수나라 장수에게 보낸 것이 『삼국사기』에 나타나 있습니다. 『삼국유사』 보장봉로조(寶藏奉老條)에는 당나라 고조(高祖)가 고구려인의 오두미교 신봉 이야기를 듣고 624년 천존상과 함께 도사를 보내어 『도덕경』을 강론하게 하였다는 기록이 있습니다. 그 이듬해 영류왕은 당나라로 사신을 보내어 불(佛) · 노(老)를 배우고자 하였고, 고조는 이를 허락하였다는 것이다. 계속해 보장왕이 연개소문(淵蓋蘇文)의 건의에 따라 당나라에 사신을 보내어 도교를 배우도록 하였는데, 당나라 태종(太宗)이 도사 8명과 『도덕경』을 보내 주자 왕은 기뻐하며 승사(僧寺)를 지어 도사를 거처하도록 하였다는 내용이 나타납니다.

신라에서는 575년 화랑도를 만들고 그 정신을 현묘지도(玄妙之道)라 칭하였는데, '현묘'라는 말은 『도덕경』 제1장에 나오는 '현지우현 중묘지문(玄之又玄衆妙之門)'을 연상시키는 용어로 도가의 영향을 받지 않았는가 생각됩니다.

고려 때는 왕 중에서도 도교신앙이 제일 돈독하고 재위 당시 도교가 융성하였던 예종이 청연각(淸燕閣)에서 한안인(韓安仁)에게 명하여 『도덕경』을 강론하게 하였다는 기록이 『고려사』에 보입니다. 유교경전과 대등하게 다루어서 강론시켰을 정도이므로, 당시 『도덕경』을 연구하던 사람의 숫자도 많았고 수준도 높았으리라 짐작됩니다.

조선시대에 와서는 엄격한 주자학적 사상(朱子學的思想)과 그 배타적 성격 때문에 『도덕경』에 대한 연구가 위축되었지만, 유학자들 가운데서 박세당(朴世堂)은 『신주도덕경(新註道德經)』을 저술하였고, 율곡 이이(李珥)는 『도덕경』 81장을 40여 장으로 줄여 『순언(醇言)』이라는 주석서를 냈습니다.

『도덕경』의 기본 흐름은 일찍부터 도교 신앙과 접합되어 오면서 민중의식 속에 깊이 뿌리박혀 기층의 민간에 많은 영향력을 행사하였습니다.

20세기 이후의 『老子道德經(노자도덕경)』 번역에 대한 간략한 소개는 이 책의 맨 뒤편에서 읽기를 권합니다.

그럼, 차분히 제1장부터 제81장까지 완독하기를 제안합니다.

여기에 소개하는 『老子道德經(노자도덕경)』 원문은 『新編 諸子集成』(전 8책) 중 제3책인 '晉王弼選 唐陸德明釋文' 『老子道德經注』(二券 附釋文 二券)』(中華民國 67年 7月 新3版, 世界書局, 臺北, 1978)을 택했습니다. 이영구 박사님은 이 텍스트를 기반으로 국어 번역을 하셨습니다. 중국학자 왕숭방 선생님은 '晉王弼注' 『道德經注』를 텍스트로 에스페란토 번역을 했습니다. 또 역자 장정렬은 왕숭방선생님의 에스페란토로 된 <해설>과 <논평>을 국어로 옮겼습니다.

독자들이 이해하기 쉽게 각 장(章)은 다음의 순서로 되어 있습니다.
-먼저 『老子道德經(노자도덕경)』 원문을 싣고, 독자가 이 원문을 한글로 읽기 쉽도록 '原文(원문)' 식으로 배치했습니다.
-그 뒤 『老子道德經(노자도덕경)』의 <이영구 박사님의 국어 번역>을 배치하고, <왕숭방 선생님의 에스페란토 번역>을 나중에 배치하고, 그 뒤로, 왕숭방 선생님의 에스페란토 <해설>과 <논평>을 국어로 번역해 배치했습니다.

독자들이 국어로 『老子道德經(노자도덕경)』을 이해하려는 사람들을 위해, 아울러 에스페란토 독자들을 위해 에스페란토로 『老子道德經(노자 도덕경)』을 읽을 수 있게 했습니다. 국어 번역본과 에스페란토 번역본의 미묘한 번역 흐름이나 차이나 표현 방식을 알 수 있도록 했습니다.
이 책 끝에 한국에스페란토협회 기관지 편집위원으로 활동한 김형근 님의 서평 -『老子道德經(노자도덕경)』 에스페란토 번역본의 매력-을 넣어 두었습니다.
끝으로 이영구 박사님과 왕숭방 선생님의 번역 노고에 머리 숙여 감사드립니다. - 6월에 금정산의 한 줄기 쇠미산 자락을 걸으며 한글번역자 장정렬올림

에스페란토 해설 노자도덕경
老子道德經
La Libro de Laŭzi
上篇 (상편)

第一章 제1장
ĈAPITRO 1

道可道。非常道(도가도 비상도)。
名可名(명가명)。非常名(비상명)。
無 名天地之始(무명천지지시)。
有 名萬物之母(유명만물지모)。
故常無欲(고상무욕)。以觀其妙(이관기묘)。
常有欲以觀其徼(상유욕이관기요)。
此兩者同出而異名(차량자동출이이명)。
同謂之元(동위지원)。
元之又元(원지우원)。衆妙之門(중묘지문)。

말로 설명할 수 있는 도(道)는 영원한 도가 못 되고,
이름을 붙일 수 있는 이름(名)은 영원한 이름이 못 된다.
무(無)는 천지의 시작이며,
유(有)는 만물의 어머니이다.
따라서 항상 무로써 우주 만물의 오묘함을 이해하고,
항상 유로써 우주 만물의 변화를 봐야 한다.
이 두 가지는 같은 뿌리에서 나왔으나 이름이 다르다.
심오하다 할 수 있으며,
심오하고 또 심원하며,
우주 만물의 문(門)이라 할 수 있다.

La Taŭo[1] esprimebla ne estas la Taŭo eterna;
La nomo donebla ne estas la nomo adekvata[2].
La neekzisto[3] estas la origino de la Ĉielo kaj la Tero;
La ekzisto[3] estas la Patrino de la miriadoj da estaĵoj.
Tial, la esenco de la Taŭo estas ĉiam komprenebla per sia senformeco,
Kaj la manifestiĝoj de la Taŭo estas ĉiam percepteblaj per sia formo.
Tiuj ĉi du[4] havas la saman originon sed malsamajn nomojn.
Ili ambaŭ povas esti nomataj mistero,

Mistero el la misteroj, la pordo[5] de ĉiuj mirindaĵoj.

[1] Mi preferas la formon "Taŭo" al "Tao", kvankam la dua estas akceptita de Plena Ilustrita Vortaro de Esperanto, ĉar la unua formo estas fonetike pli proksima al la ĉina vorto "dao". Se mi prenus la formon "Tao", laŭ la Esperanta gramatiko ĝia radiko devus esti "Ta-" kaj "-o" estus ĝia finaĵo, tio evidente ne estus preferinda.

[2] Ĉar la Taŭo estas la universala principo ampleksanta ĉiujn estaĵojn en la universo, tial ĝi, senfina kaj senlima, ne estas plene komprenebla por la homo, kies menso havas limigitecon, nek precize priskribebla per vortoj aŭ adekvate nomebla.

[3] "La neekzisto" kaj "la ekzisto" ambaŭ estas uzataj ĉi tie por aludi la Taŭon, montrante la pason de la senformeco de la Taŭo al formohava substanco.

[4] T.e. la senformeco de la Taŭo kaj la formo, en kiu la Taŭo manifestiĝas.

[5] T.e. la pordo de la Mistera Femalo (Vd. la 3-an linion de ĉap. 6). Ĉi tie per vagina aperturo Laŭzi metafore aludas la Taŭon, kiu produktas ĉiujn estaĵojn. Tio estas postsigno de la antikva kulto al la virina seksorgano kiel simbolo de fekundeco. Tial la esprimo "la pordo de ĉiuj mirindaĵoj" devas esti komprenata kiel jene: "la pordo, el kiu ĉiuj mirindaĵoj aperas" anstataŭ "la pordo al ĉiuj mirindaĵoj".

1 '도' 를 에스페란토 표기할 때 "Tao"보다는 "Taŭo"를 쓰고자 한다. "Tao"라는 표현이 이미 **『Plena Ilustrita Vortaro de Esperanto』(에스페란토 큰사전)**에 있다. 하지만, 발음상 "Taŭo"가 중국어 "dao"에 더 잘 어울린다. 만일 내가 도를 에스페란토로 "Tao"라고 쓰면, 에스페란토 어법에 따르면, 그 어근이 "Ta-"가 되어야 하고 "-o" 가 어미가 된다. 그래서 이는 적절하지 않다고 본다.

2 '도' 가 우주의 삼라만상에 적용되는 보편원칙이기에, 이는, 끝이 없고 경계가 없으니, 정신 한계를 가진 사람에게는 충분히 이해될 수 없고, 낱말로도 정확히 묘사될 수 없고, 적절히 이름을 붙일 수도 없다.

3 "무(La neekzisto, 無)"와 "유(la ekzisto, 有)" 둘 다, 여기서, 도(Taŭo)를 나타내는데, 도의 무(無)형상에서 유(有)형상의 물질로의 변화를 보여준다.

4 즉, 도의 무형의 모습과 도가 시현된, 유형의 모습.

5 즉, 현묘한 암컷의 출입문(제6장 셋째 줄을 보라). 여기서 노자는

생식기관의 틈새를 만물을 생산하는 도로 은유적으로 암시하고 있다. 이는 가임성을 상징하는 여성 생식기관에 대한 고대인의 숭배 흔적이다. 그 때문에, "삼라만상의 문"이란 표현은 "만물을 향하는 문" 이 아닌, "만물이 생겨나오는 문"으로 이해해야 한다.

[해설]

노자는 제1장에서 자신의 철학 체계의 핵심개념 "도(道 Taŭo)" 를 처음으로 배치하면서, 절대적으로 영원한 "도" 란 말이나 글로 표현할 수 없다고 우리에게 강조한다. 노자에 따르면, 우주 법칙인 도는 만물의 본원이며, 모든 인간 행동과 세계 현상을 관통한다. 이 "도" 를 제대로 이해하려면 사람들은 이성적 사유가 꼭 필요하다.

[논평]

중국어 도(道, Taŭo)란 원래 뜻이 "길 vojo"이다. 그 도는 제 뜻을 확장하기 위해 추상적 철학적 함의를 받았다. 중국사에서 도를 철학 개념으로 심도 있게 다룬 첫 현인이 바로 노자(老子)이다. 도란 노자 철학의 기본이자 핵심이다. 사람들이 도의 진짜 의미를 잡을 수 있다면, 노자 철학 이론을 제대로 이해할 수 있고, 우주 삼라만상의 생성, 존재, 활동과 발달의 모든 신비를 이해하는 문을 열 수 있다.

노자가 다양한 방식으로 도의 특성을 서술했지만, 도라는 것은 말로 표현될 수도 없고, 적절한 이름으로 이름을 지을 수도 없다고 설명했다. 그는 이를 영원한 도라고 이름지었다. 왜냐하면, 이는, 현묘하고 깊어, 자신의 절대성 속에 언제나 존재하며 결코 없어지지 않는다. 그렇지만 도는 자체의 현묘함에도 불구하고, 실제 어느 정도 사람에게는 이해된다. 이 저술을 읽고 나면, 사람들은 노자의 도란 다음의 특성을 가진다는 것을 알 수 있을 것이다. 첫째, 도는 우주 삼라만상의 근원이요; 둘째, 이는 삼라만상의 운동력이자 변화와 발달의 법칙이요; 셋째로, 이는 인간세계의 사회적 정치적 삶의 준칙이요 표준이다.

노자에 따르면, 도란 2가지로 존재하는데, 이름하여 "무(無)" (자신의 무존재) 속에 또 "유(有)" (존재) 속에 있다. 그 두 개 방식에 따라 도란 정태적 상태에 머물러 있지 않고, 무형의 모습에서 유형의 모습으로, 또 그 반대로의 이행이라는 동태적 과정에, 또 그 반대 과정속에 있기에, 그 과정의 시현인, 노자가 강조한 바에 따르면, 도는 우주 삼라만상을 창조한다는 것이다 ("무" 란 천지의 근원이요, "유" 는 만물의 어머니다).

第二章 제2장
ĈAPITRO 2

天下皆知美之爲美(천하개지미지위미)。
斯恶已(사악이)。
皆知善之爲善(개지선지위선)。
斯不善已(사불선이)。
故有無相生(고유무상생)。
難易相成(난이상성)。
長短相較(장단상교)。
高下相傾(고하상경)。
音聲相和(음성상화)。
前後相随(전후상수)。
是以聖人處無爲之事(시이성인처무위지사)。
行不言之教(행불언지교)。
萬物作焉而不爲辭(만물작언이불위사)。
生而不有(생이불유)。
爲而不恃(위이불시)。
功成而弗居(공성이불거)。
夫唯弗(부유불)。居(거)。
是以不去(시이불거)。

천하의 사람들이 모두 미(美)가 좋다는 것을 알기 때문에
추(醜)하다는 개념이 생겼고,
천하의 사람들이 모두 선(善)이 좋다는 것을 알기 때문에
악(惡)하다는 개념이 생겼다.
그러므로 유와 무는 서로 살리고,
어려움과 쉬움은 서로 생기고,
길고 짧음은 서로 드러내고,
높고 낮음은 서로 의지하고,
노래와 소리는 서로 조화를 이루며,
앞과 뒤는 서로 이어진다.

그래서 성인은 무위(無爲)로 세상사를 처리하고,
무언(無言)으로 가르침을 행한다.
만물의 성장 발전에도 불구하고 간섭하지 않고,
만물이 생겨나도 소유하지 않고,
만물을 추동함에도 자랑하지 않고,
만물을 이루고도 머물지 않는다.
무릇 공적을 드러내지도 않으니,
공적이 없어지지도 않는다.

Kiam la mondo scias, ke la belo estas bela,
Tiam aperas la malbelo;
Kiam la mondo scias, ke la bono estas bona,
Tiam aperas la malbono.
Tial la ekzisto kaj la neekzisto interdependas en estiĝo,
La facileco kaj la malfacileco interdependas en sinkompletigo,
La longo kaj la mallongo interdependas en kontrasto,
La alto kaj la malalto interdependas en pozicio,
La sono kaj la voĉo interdependas en harmonio,
La antaŭo kaj la malantaŭo interdependas en sinsekvo.
Jen kial la Saĝulo[1] traktas aferojn per "senagado"[2],
Kaj instruas per sia silento.
Li lasas ĉiujn estaĵojn mem kreski sen ilin ekestigi,
Nutras ilin sen pretendi esti ilia posedanto,
Akcelas ilin sen atribui al si la kontribuon;
Plenuminte ĉion ĉi tion, Li vekas nenies atenton al siaj faraĵoj.
Kaj ĝuste ĉar Li vekas nenies atenton al siaj faraĵoj,
Liaj laboroj ne estos perditaj.

[1] En la filozofio de Laŭzi la "Saĝulo" estas la ideala perfektulo, la portanto de la Taŭo.

[2] Laŭ Laŭzi, la nocio pri "senagado" signifas "fari nenian agon kontraŭan al la naturo", alivorte, lasi la aferojn sekvi sian naturan vojon de disvolviĝo kaj fari nenion nenecesan, nek agi senbride aŭ altrude. Por la detaloj, vidu la

"Senagadon" de *Antaŭparolo.*

1 노자 철학에서 "현인Saĝulo"은 도를 지닌 자, 이상적인 완벽한 사람을 뜻한다.

2 노자에 따르면, "무위senagado"의 개념은 "자연에 반하는 행동을 하지 않는 것", 다시 말해, 매사를 스스로 발전이라는 자연의 길에 따르게 놔두는 것이기에, 불필요한 일을 하지 않고, 무절제하게 행동하지 않고, 뭔가 하도록 강요하지도 않는다.

[해설]

이 장의 첫 절반은 모든 사물에는 두 가지 대립의 면이 언제나 있으며, 그들 각자는 서로의 상대 없이는 존재할 수 없음을 -즉, 아름다움과 추함, 선와 악, 크고 작음, 길고 짧음 등- 말한다. 나머지 절반은 "무위"에 대한 노자 사상을 보여준다. 노자는 강조하기를, 사람은 자신을 현인의 원칙, 즉, 매사를 "무위"의 입장에서 파악하고 침묵으로 가르쳐야 한다.

[논평]

도의 영원성과 절대성은 구체적 사물의 변화 상대성 속에서 발현된다. 노자 철학에서 영원성, 변화, 절대성과 상대성은 하나의 통일성 속에 자리하고 서로를 보완하게 한다. 사람들은 도의 성질을 -그 절대성이 어떤지를 앎으로써, 마찬가지로, 그 도의 상대성이 어떤지 앎으로써- 붙잡을 수 있다. 철학적 관점에서 출발해, 아름다움과 추함, 선와 악, 유와 무, 쉬움과 어려움, 길고 짧음의 대비적 성질에 대한 지식은 풍부한 변증법적 사상을 지니고서, 중국 철학 발전에 큰 영향을 주었다.

이 장에서 노자는 노자 철학에서 아주 중요한 개념인 "무위"를 말하고 있다. 이는 논리적으로는 다음과 같이 표현된다: **도**는 "무위" 라는 자신의 특성 법칙을 따르고, **현인**은 도를 따르고, 자연히 그 **현인**은 당연히 "무위" 로써 사안들을 처리해야 한다.

노자에 따르면 **현인**의 "무위" 란 아무것도 하지 않음을 말하는 것이 아니라, "도" 에 반하는 어떤 행위도 하지 않음을, 또한 불필요한 행동이나 임의의 억지를 강요하지 않음을 뜻한다. **현인**은 객관적 규율, 즉 도에 부합하는 행동만 할 뿐이다.

第三章 제3장
ĈAPITRO 3

不尚賢(불상현)。使民不爭(사민부쟁)。
不貴難得之貨(불귀난득지화)。使民不爲盜(사민불위도)。
不見可欲(불견가욕)。使民心不亂(사민심불난)。
是以聖人之治(시이성인지치)。
虛其心(허기심)。
實其腹(실기복)。
弱其志(약기지)。
強其骨(강기골)。
常使民無知無欲(상사민무지무욕)。
使夫智者不敢爲也(사부지자불감위야)。
爲無爲(위무위)。
則無不治(칙무불치)。

현명하고 능력 있는 사람을 쓰지 않으면
백성들은 경쟁하려 하지 않고,
얻기 어려운 물건을 귀하게 여기지 않으면
백성들은 훔치려 하지 않고,
욕심을 드러내 보이지 않으면,
백성들의 마음은 어지럽지 않게 된다.
그래서 성인의 다스림은
백성들의 마음을 비우게 하지만
그들의 배를 채워 주고,
뜻은 약하게 하지만
뼈는 강하게 한다.
항상 백성들은 무지(無知)하고 무욕(無欲)하게 하여
지모가 있는 자라고 해도 감히 행하지 못하게 된다.
무위로 행하면 다스려지지 않는 것이 없다.

Ne honoru la kapablulojn[1], por ke la popolo ne konkuru inter si.
Ne valorigu la rarajn varojn, por ke la popolo ne faru ŝteladon.
Ne elmontru la dezirindaĵojn, por ke la mensoj ne estu konfuzitaj.
Tial la Saĝulo[2] regas
Per la simpligo de la mensoj de siaj regatoj,
Per la plenigo de iliaj stomakoj,
Per la malfortigo de iliaj ambicioj,
Per la fortikigo de iliaj ostoj.
Li ĉiam tenas ilin en senscieco kaj sendezireco[3],
Por ke tiuj, kiuj opinias sin inteligentaj, ne aŭdacu agaĉi.
Traktante aferojn per "senagado"[4],
Ĉiu ja povas meti ĉion en ordon.

[1] Dum la Periodo de Militantaj Regnoj (475—221 a.K.), por kontentigi la deziron de la feŭda reganta klaso aboli la sistemon de la hereda regna oficisteco, la Leĝistoj kaj Moistoj proponis honoradon al kapabluloj, por ke nekapablaj aristokratoj povu esti degraditaj al nenobeleco dum kapablaj nenobeloj povu fariĝi regnaj oficistoj.

[2] Vd. noton 1 de ĉap. 2.

[3] Ĉi tie "senscieco" kaj "sendezireco" signifas respektive havi nenian ruzecon aŭ hipokritecon kaj havi nenian deziron pri konkurado kaj ŝtelado.

[4] Vd. noton 2 de ĉap. 2.

1 전국시대(기원전 475-221)에는 세습 관료제를 폐지하려는 봉건 지배층 요구를 충족시키려고 법가(法家)와 묵가(墨家)는 귀족이라도 무능하면 직위를 박탈하고, 귀족이 아니지만 유능한 사람이 있다면, 이를 등용시키는 제도를 제안했다.

2 제2장 주석 1을 보라.

3 여기서 "무지(無知, senscieco" 와 "무욕(無欲, sendezireco)"은 각각 아무런 교활함이나 가식 없이 경쟁심을 가지거나 훔치려는 마음에 대한 욕구를 가지지 않음을 뜻한다.

4 제2장 주석2를 보라.

[해설]

노자는 말한다. 백성이 의식이 단순할수록, 그만큼 더 쉽게 지배당한다며, 노자는 능력자를 영예로 대하는 것을 경계하면서도 백성에게 술수나 경쟁과 훔치려는 욕망을 없애기를 원했다.

[논평]
사람은 태어나면 천성적 욕구를 지닌다. 배가 고프면 먹고 싶다; 추위를 느끼면, 따뜻한 옷을 입고 싶다. 이는 인간의 자연적 생존 필요 때문이고, 인간 문명이 발전하면 할수록 그 욕구는 많아진다. 사람의 욕구가 언제나 더 많아지는 오늘날, 우리는 그 욕구에 대해 어떤 태도를 지녀야 하는가? 실제 우리의 생활 경험은 이렇게 말하고 있다. 우리는 자신의 정직한 일을 통해서만 삶을 더욱 아름답게 하려고 애쓰고, 삶을 즐기려고 애써야 한다. 반면, 우리는 과도한 욕구를 절제할 수 있어야 한다. 그렇지 않으면, 우리는 욕심이 많아지고, 이는 불가피하게 술수를 부리게 하고, 뇌물을 주고받고, 훔침 같은 범죄에 노출될 수 있다.
이 장에서, 노자는 제안한다. "피지배 민의 의식을 간단히 함"으로써, 통치자들은, 피지배 민의 부적절하지 않은 욕구를 해결해 주면서도, 모든 방법을 동원해 그들이 본래 가진 자신들의 순수하고, 어린애 같고, 아무 교활함 없는 인간 본성으로 돌아가도록 요구해야 한다고 한다. 노자에 따르면, 사람들이 그러한 간단한 천성을 잃으면 물질적 기쁨에 현혹된 채, 자신의 과도한 욕구를 더는 통제 못 하는 상황이 온다고 보았다. 또 유명세와 이익을 따라가면, 필시 술수와 허위, 속임과 심지어 범죄에 기울어질 수 있다고도 보았다. 이것이 사회의 무질서를 일으키는 유일한 원인이 됨을 경계하고 있다.

第四章 제4장

ĈAPITRO 4

道沖而用之或不盈(도충이용지혹불영)。
淵兮似萬物之宗(연혜사만물지종)。
挫其銳(좌기예)。
解其紛(해기분)。
和其光(화기광)。
同其塵(동기진)。
湛兮似或存(담혜사혹존)。
吾不知誰之子(오부지수지자)。
象帝之先(상제지선)。

도는 텅 빈 그릇 같이 비어 있으나 결코 채우지 못한다.
심오한 깊이는 마치 만물의 우두머리 같다.
예리함을 드러내지 않고도 분쟁을 해결하며,
밝은 곳에서는 빛과 함께,
먼지 속에서는 먼지와 함께 한다.
깊숙함은 존재하지 않는 것 같기도 하고,
존재하는 듯하기도 하다.
나는 도가 어디서부터 나온 것인지 모르지만
아마 조물주보다도 앞선 것 같다.

La Taŭo estas malplena, kiel vazo,
Sed uzate ĝi neniam pleniĝas[1].
Senfunde profunda,
Ĝi estas kvazaŭ la Prapatro de la miriadoj da estaĵoj.
Ĝi malakrigas ĉion, kio estas akra;
Ĝi malkonfuzas ĉion, kio estas konfuza;
Ĝi malbriligas ĉion, kio estas brila;
Ĝi miksiĝas kun ĉio, kio estas polva[2].

Tute senforma,
Ĝi ŝajnas ne ekzisti kaj tamen ekzistas.
Mi ne scias, de kio ĝi naskiĝis,
Sed ŝajnas, ke ĝi ekestis jam antaŭ ol la Sinjoro de la Ĉielo[3].

[1] La nepleniĝeco montras, ke la Taŭo estas tiel senlime granda, ke ĝia utilo aŭ funkcio neniam elĉerpiĝas. La malpleneco de la Taŭo ne estas la sama kiel "nenieco", ĉar ĝi kaŝas sennombrajn semojn de kreo. Kvankam en ĝi troviĝas nenio, tamen ĝi entenas ĉion. Ĉu tio ŝajnas kontraŭdiro aŭ paradokso? Eble, sed tiu ĉi ideo estas konforma al la plej freŝa scienca penso pri la estiĝo de la universo, ekz. Pri la praeksploda kosmologio, laŭ kiu teorio io efektive povas estiĝi el nenio.

[2] Laŭ taŭismo, la polvo estas la simbolo de la brukonfuza vanteco kaj banaleco de la ĉiutaga vivo.

[3] Per tiu ĉi aserto Laŭzi fakte neas la kreadon de la universo fare de Dio.

1 불충만성(不充滿性)이란, 도라는 것이 그렇게 무한으로 커, 그것의 유용함이나 기능은 절대 다 소모되지 않는다. 도의 불충만성은 "아무것에도 없음nenieco"과는 다르다, 왜냐하면 이는 창조의 셀 수 없는 씨앗들을 숨겨두고 있기 때문이다. 비록 그 안에 아무것이 없다 치더라도, 그것은 모든 것을 포함할 수 있다. 그럼 그것이 모순으로 보이는가? 아마 그럴지 몰라도, 그 생각은 우주 생성에 대한 가장 신선한 과학적 사고방식에 적합하다. 예를 들어, 원시 폭발의 우주론에 따르면, 이론적으로 뭔가가 실제로 '무'에서 나와 생성된다는 것에 가장 적합하다.

2 도(道)에 따르면, 먼지 자체가 일상생활의 떠들썩하고 혼돈의 허망과 진부의 상징이다.

3 이 주장으로서, 노자는, 사실, 우주는 신(神, 하느님)이 만들었다는 우주 탄생설을 부정한다.

[해설]

이 장에서는, 노자는 다른 각도에서 도를 무형상으로, 만질 수 없어도 무한히 작용하는 존재로 소개한다. 그에 따르면, 도란 구체적 만물의 근원이요; 도는 우리가 저 우주를 창조했다고 믿는 하늘(천제, 天帝)보다 더 오래된 존재다.

[논평]
노자 철학에서 도(道)의 핵심은 도 "Taŭo"라는 용어에 있다. 이 장에서 노자는 도의 특성을 다음과 같이 구분한다:
첫째, 도라는 것은 우주 만물의 본원이요; 이는 만물 속에 찾을 수 있고, 만물의 존재와 시현을 결정하고, 그들의 본질이자 지배자이다;
둘째, 도란, 형상이 없으니 사람 눈에 보이지 않고, 텅 비어 있는 것 같으나, 이는 모든 곳에 있고, 모든 것을 포함하는 실재의 존재이다;
셋째, 비록 도라는 것이 보이지 않고 만질 수 없는 추상물이기는 하지만, 이는 인간 정신으로 느낄 수 있다; 그런 방식으로 노자는 도의 정신적 파악을 모두 느낄 수 있는 구체물의 감각적 인식과는 구분해 둔다. 또 이 구분은 중국 고대철학의 발전에 대단한 의미가 있다;
넷째, 무형태성과 볼 수 없는 성질에도 불구하고 도의 기능과 효과는 경계가 없다. 도를 통해 우주 삼라만상이 나오고 그 삼라만상 제각각이 그 도의 구체물이 된다;
다섯째, 도란 영원한 존재물인데, 이는 새로 생겨나지도 않고, 사라지지도 않고, 이 우주 만물이 사멸한 뒤에도 계속 존재한다.
위에 언급한 도의 5가지 특성에 따라, 사람들은 도라는 것은, 물질과는 독립된, 영성을 가진 실체이며, 가장 높은 원칙이라는 결론에 도달할 수 있다. "도(道)"라는 용어는 고도의, 절대적 철학 범주에 속한다.

第五章 제5장
ĈAPITRO 5

天地不仁(천지불인)。
以萬物爲芻狗(이만물위추구)。
聖人不仁(성인불인)。
以百姓爲芻狗(이백성위추구)。
天地之間(천지지간)。
其猶橐籥乎(기유탁약호)。
虛而不屈(허이불굴)。
動而愈出(동이유출)。
多言數窮(다언삭궁)。
不如守中(불여수중)。

천지는 편애하지 않고,
만물을 짚으로 만든 개(하찮은 것)처럼 여긴다.
성인은 편애하지 않고,
백성을 짚으로 만든 개처럼 여긴다.
하늘과 땅 사이는 마치 풀무와 같다.
텅 비어 있지만 고갈되는 법이 없고,
풀무가 작동하면 할수록 더욱 많은 바람을 만들어 낸다.
말이 많으면 많을수록 궁지에 몰리게 되니
비워두는 것이 더 나을 것 같다.

La Ĉielo kaj la Tero ne estas favoraj;
Ili rigardas ĉiujn estaĵojn egale kiel pajlohundojn[1].
La Saĝulo[2] ne estas favora;
Li rigardas ĉiujn homojn egale kiel pajlohundojn.
Inter la Ĉielo kaj la Tero,
Ĉu la spacego ne similas balgoblovilon?
Ĝi estas malplena, tamen ĝi ne elĉerpiĝas[3];

Ju pli ĝi estas laborigata, des pli da blovoj ĝi donas.
Tro da paroloj certe kondukas al bedaŭrinda fino,
Do estas preferinde teni sin je la modereco.

[1] La pajlohundo estis uzata de antikvuloj kiel oferaĵo al dioj. Oni uzis ĝin ne pro sia favoro al ĝi kaj forĵetis ĝin post la oferado ne pro sia malfavoro, sed nur pro tio, ke ĝi jam perdis sian utilecon. Tiamaniere la Ĉielo kaj la Tero traktas ĉiujn estaĵojn egale, nek favore, nek malfavore, nome lasi ilin ĉiujn estiĝi kaj malaperi per si mem, laŭ la natura vojo de disvolviĝo.

[2] Vd. noton 1 de ĉap. 2.

[3] Kvankam la spacego inter la Ĉielo kaj la Tero estas malplena, tamen en ĝi troviĝas sennombraj semoj de kreo, el kiuj povas naskiĝi ĉiaj estaĵoj, kaj tial la aserto de Laŭzi pri la "malpleneco" estas ideo ne negativa, sed pozitiva.

1 '짚으로 만든 개' 를 옛사람들이 신(神)에 바치는 공물로 사용했다. 사람들은 신에 대한 자신의 호의로 이를 사용하는 것도 아니요, 자신의 호의가 아님을 이유로 공물 행사 뒤에 이를 버린다. 그 짚으로 만든 개는 이미 자신의 유용함을 잃었기 때문이다. 마찬가지로 하늘과 도는 만물을 평등하게 보고, 편애하지 않고 경시하지도 않는다. 이름하여 그들 모두가 존재하는 방식대로 두고, 그들이 사라지는 방식대로 두고, 자연의 발전의 길을 따라가도록 두고 있다.

2 제2장 주1을 보라.

3 하늘과 땅 사이의 대(大)공간이 텅 비어 있으나, 그 안에는 창조의 수없는 씨앗이 들어있다. 이 씨앗들을 통해 만물이 태어나고, 그 때문에 노자의 "텅 빔"에 대한 주장은 부정적이지도 긍정적이지도 않다.

[해설]
이 장에서 노자는 "무위"의 정치적 장점을 설명한다. 그에 따르면, 사람들은 당연히 이 사회에 대한 무차별의 태도를 유지해야 하고, 모든 존재를 생겨남도, 사라짐도 그대로 두어야 한다, 이름하여 자연의 길을 따라야 한다. 그는 너무 많은 말씀, -즉, 너무 많은 도덕적 가르침과 관료의 행정명령 등- 은 유용하지 않다며, 사람들 자신을 중도 입장에 서 있기를 조언한다.

[논평]
이 장의 핵심사상은 여전히 현인의 "무위"이다. 노자에 따르면 현인은 자연의 법칙을 따르면서, "무위"를 실천해야 한다고 한다. 이 말이 뜻하는 바는, 노자가 추천하는 "무위"는 자연 철학 위에 자신을 두고 있다. 노자에 따르면, 자연 세계처럼, 인간세계에도 아무 초월지배자(주관자)는 없다. 그러니 오로지 도(Taŭo)만 작용할 뿐이다; 때문에 현인은 인간세계를 지배하려고 애쓸 필요도 없고, 아무 불필요한 일도 하지 않을 뿐만 아니라, 임의의 억지를 강요하지 않는다. 이 사상은 아주 중요한 의미가 있다. 왜냐하면, 이는 고대철학에 신학적 성질을 개입시키지 않았다. 이는 "무위" 라는 노자 사상의 진짜 모습이다.

第六章 제6장
ĈAPITRO 6

谷神不死(곡신불사),
是謂元牝(시위원빈)。
元牝之門(원빈지문),
是謂天地根(시위천지근)。
緜緜若存(면면약존),
用之不勤(용지불근)。

골짜기 신(谷神)은 죽지 않는다.
이를 신비한 여성(元牝)이라 부른다.
신비한 여성의 문(門)은 천지의 근원이 된다.
형상은 있는 듯 없는 듯 미미하나,
그 작용만은 아무리 써도 끊이지 않는다.

La Spirito de la Valo[1] neniam mortas.
Ĝi estas nomata la Mistera Femalo[2].
La pordo de la Mistera Femalo[3]
Estas la radiko de la Ĉielo kaj la Tero.
Ĝi senforme ekzistas,
Sed ĝia utilo neniam elĉerpiĝas.

[1] Iuj opinias, ke la "Valo" simbolas la inseksan organon kaj sekve "la Spirito de la Valo" simbolas per fekundeco la Taŭon, kiu estas la origino de ĉiuj estaĵoj.

[2] La ĉina ideografiaĵo *pin* aludas reproduktan organon de inseksa animalo kaj "la Mistera Femalo" (ĉinlingve: *xuan-pin*) simbolas la Taŭon, kiu produktas ĉiujn estaĵojn. Laŭ Laŭzi la senĉesa ŝanĝiĝado de la substanco estas la fonto, el kiu ĉiuj estaĵoj naskiĝas.

[3] Ĉi tie per vagina aperturo Laŭzi metafore aludas la Taŭon. Tio estas postsigno de la antikva kulto al la virina seksorgano kiel simbolo de fekundeco.

1 누군가 평하기를, "골짜기(곡)Valo"은 여성 성기를 상징으로 한다고 하고, 따라서 "골짜기신(곡신)la Spirito de la Valo"은 가임성을 갖춘, 만물의 근원인 도(道)를 상징한다.

2 중국어에서 'pin'이라는 말은 암컷 동물의 재생산 기관을 암시하고, "신비한 여성(원빈)la Mistera Femalo" (元牝)이란 만물을 생산하는 도(Taŭo)를 상징적으로 말한다. 노자에 따르면, 그 물질의 끊임없는 변화는 만물이 태어나는 근원이다.

3 여기서 그 여성의 문(음문)의 틈새로써 노자는 은유적으로 도Taŭo를 암시한다. 이는 가임성의 상징으로 여성 생식기관에 대한 고래의 경배 흔적이다.

[해설]

이 장에서 우리는 곡신(골짜기신)"la Spirito de la Valo"이라는 표현을 만난다. 노자 철학에서, 골짜기 "Valo"는 허공이나 텅 비어 있음을 나타내고 "곡신(골짜기신)la Spirito de la Valo"은 노자의 도(Taŭo)의 다른 이름이다. 도는 모든 사물 생산의 총 근원이고, 그 때문에 유형의 만물은, 하늘과 땅을 포함해, 도(道)로 인해 탄생한다. 그들 각자는 자신의 삶이 끝을 향해 나아가지만, 도(道)는 사멸하지도 끝도 없다.

[논평]

이 장은 간결해도 이해하기 어려운 대목이다. 이 장에서 노자는 도의 3가지 특성을 다음과 같이 표현하고 있다: 텅 빔, 신비로움과 영원성.

이 장에서 "신비한 여성(원빈)la Mistera Femalo"은 도의 위대한 가임성을 상징한다. 다시 말해 우주 만물을 생산할 수 있는 능력을 말한다. 또 이 생산 과정 속에서 도의 기능은 경계가 없다. 왜냐하면, 도란 텅 비어 있어, 모든 것을 품을 수 있고, 또한 신비하기에, 인간으로서는 완전하게 알 수 없을 만큼, 끝없는 무한한 위대한 유용성을 가질 수 있다.

第七章 제7장
ĈAPITRO 7

天長地久(천장지구)。
天地所以能長且久者(천지소이능장차구자)。
以其不自生(이기부자생)。
故能長生(고능장생)。
是以聖人後其身而身先(시이성인후기신이신선)。
外其身而身存(외기신이신존)。
非以其無私邪(비이기무사사)。
故能成其私(고능성기사)。

천지는 영원하다.
천지가 영원할 수 있는 것은
자신만을 위해 살지 않기에 오래 지속된다.
따라서 성인은 자신을 뒤로 두지만,
오히려 앞에 서 있다.
자신을 돌보지 않기에
오히려 자신을 온전히 보존한다.
이런 이치는 바로 사사로움이 없음으로 인해
결국 자신의 사사로움도 이룰 수 있다.

Eterna estas la Ĉielo kaj eterna estas la Tero.
La kaŭzo, kial ili estas tiaj,
Kuŝas en tio, ke ili ekzistas ne por si mem,
Kaj pro tio ili povas daŭri por ĉiam.
Tial la Saĝulo[1] metas sin en la lastan lokon,
Sed efektive Li ĉiam staras plej antaŭe.
Havante nenian konsideron pri si mem, Li bone sin konservas.
Ĉu ne ĝuste pro sia sinforgeso
Li povas perfekte plenumi siajn proprajn celojn?

[1] Vd. noton 1 de ĉap. 2.

1 제2장 주1을 보라.

[해설]
이 장에서 노자는 양보로써 장점을 얻는다는 생각을 보여준다. 그에 따르면, 사람들은, 자기 자신을 전혀 생각하지 않음으로써 또 자기 자신을 위해 아무것도 하지 않음으로써 이익을 성취할 수 있음을, 즉, 이타주의(利他主義)로 목적에 도달할 수 있음을 말한다.

[논평]
노자에 따르면, 하늘과 땅이 영원히 존재하는 원인은 그 둘이 자신을 위해 존재하지 않는 바로 그 점에 있다. 그런 유추 속에서 그는 의견을 이렇게 펼친다: 천지 법칙을 따르는 현인은 자기 중심주의에서 완전히 벗어나야 하고, 자신에 대한 모든 고려사항도 완전히 벗어나, 겸손과 양보로 있기를 애써야 한다, 그렇게 함으로써 그 현인은 백성(피지배민)으로부터 존경과 사랑을 받을 수 있고, 제 나라를 잘 다스릴 수 있다.

이 짧은 장에서 서로 변신하는 여러 짝에 대한 몇 가지 사례를 읽는다: 자신을 위해서가 아니라 다른 이를 위해 존재함은 -영원히 지속할 수 있다; 자신을 맨 마지막 순서에 둠은 -언제나 맨 앞에 서 있음이다; 자신에 대해 아무 고려가 없음은 -자신을 잘 보전함이다; 자신을 잊음이 -바로 완전하게 지기 고유의 목적을 수행함이다. 그러한 빛나는 변증법적 생각을 사람들은 『노자 도덕경』 책 여기저기서 찾을 수 있다.

第八章 제8장
ĈAPITRO 8

上善若水(상선야수)。
水善利萬物而不爭(수선리만물이부쟁)。
處衆人之所惡(처중인지소오)。
故幾於道(고기어도)。
居善地(거선지)。
心善淵(심선연)。
與善仁(여선인)。
言善信(언선신)。
正善治(정선치)。
事善能(사선능)。
動善時(동선시)。
夫唯不爭(부유부쟁)。
故無尤(고무우)。

최고의 선(善)은 마치 물과 같다.
물은 만물을 이롭게 하지만
만물과 다투지 않는다.
물은 사람들이 싫어하는 곳에 머물기에
그래서 도(道)에 가장 가깝다.
최고의 선을 지닌 사람은
낮은 곳에 머물며,
마음은 평온하며,
교제함에 사랑으로 대하며,
말은 믿음이 있으며,
올곧게 백성을 잘 다스리며,
일을 잘 처리하며,
때맞춰 움직인다.
무릇 남들과 다투지 않으니
따라서 허물도 없다.

La supera bono estas kiel akvo.
La akvo nutras ĉiujn estaĵojn kaj ne konkuras kontraŭ ili;
Ĝi loĝas en lokoj, kiujn la homoj evitas,
Kaj tial ĝi estas plej proksima al la Taŭo[1].
Do preferu loĝejon modestan,
Havu en la koro sentojn profundajn,
Estu intimaj al viaj amikoj,
Tenu ĉiam viajn promesojn,
Sekvu bonan ordon en regado,
Estu kapabla en traktado de aferoj,
Sciu uzi la okazon en agado.
Ĝuste pro nenia konkuro
Nenia miso estas farata.

[1] La akvo simbolas la Taŭon en multaj manieroj. Ĉi tie Laŭzi aludas ĝiajn ĉefajn kvalitojn. La akvo estas mola, kaj tamen ĝi kapablas venki tion, kio estas malmola. Ĝi serĉas ne superecon, sed nur la plej malaltajn lokojn kaj nutras ĉion, kio estas en ĝi aŭ kun ĝi. Kvankam ĉiuj vivaj estaĵoj ŝuldas sian vivon al ĝi, tamen ĝi havas nenian postulon al ili.

1 물은 다양한 방식으로 도(道: Taŭo)를 상징하고 있다. 여기서 노자는 그 도의 주요 성질을 암시하고 있다. 물이란 유연하지만, 이는 단단한 모든 것을 이길 능력이 있다. 이 물은 가장 높은 곳을 추구하지 않고, 오로지 가장 낮은 곳에 머물기를 원하고, 그 안에 있거나, 그와 함께 하는 모든 것에 영양분을 공급한다. 살아가는 만물이 이 물에 자신의 생명력에 대한 빚을 지고 있어도, 이 물은 그 만물에 아무 요구가 없다.

[해설]

유연함으로 단단함을 이기는 것이, 한 걸음 나아가려고 한 걸음 물러섬이, 또 경쟁하지 않음으로 자신의 목표에 도달하는 것, 이 3가지 특성이 노자의 사고방식이자 그의 사상의 실천 덕목이다. 이 장의 중점 주제는 앞장과 같다.

[논평]

사실, 물의 특성을 서술하는 것은 도(道)의 특성을 서술하기 위함이다, 왜냐하면, 노자에 따르면, 물은 자연성으로 보면, 도에 가장 가깝기 때문이다. 노자는 도를 물에 비교해 설명했고, 도를 따르는, 완전한 도덕성을 갖춘 인간이라면 그런 물의 특성을 반드시 가져야만 한다는 것을 피력하면서, 그런 도덕적 인간을 물과 비교해 설명했다: 즉, 양보심, 겸손, 유연한 성격, 정직, 성실, 이타심, 비(非) 경쟁심 등. 그런 특성을 갖춘 사람이야말로 다른 사람들에게 유용하고, 이 사회에 이바지할 수 있다.

第九章 제9장
ĈAPITRO 9

持而盈之(지이영지)。
不如其已(불여기이)。
揣而梲之(췌이예지)。
不可常保(불가상보)。
金玉滿堂(금옥만당)。
莫之能守(막지능수)。
富贵而驕(부귀이교)。
自遺其咎(자유기구)。
功遂身退天之道(공수신퇴천지도)。

계속해서 채우는 것보다
차라리 적당한 순간 그치는 것이 좋고,
칼날을 예리하게 만들면
오랫동안 보전할 수 없다.
금과 옥이 집안에 가득하면
안전하게 보존하기 힘들다.
돈과 영예가 있고 교만하면
스스로 화를 부르게 된다.
성공한 후에는 뒤로 물러나는 것이
하늘의 도(道)이다.

Estas preferinde demeti vazon jam ĝisrande plenan,
Ol plu ĝin manteni kaj fari enverŝadon.
La klingo, kiu estas tro akre forĝita,
ne povas longe konservi sian akrecon.
Se la domo estas plenplena de oro kaj jado,
Ili ne povas esti tenataj en sekureco.
Esti fiera pri sia riĉeco kaj honoro
Signifas kaŭzi al si katastrofon.

Retiriĝi tuj post la plenumo de la granda laboro,
— Jen la Taŭo de la Ĉielo.

[해설]

이 장에서 노자는 불만족과 과도함의 단점을 보여주면서, 겸손과 양보를 추천하고 있다. 그에 따르면, 사람이란 자신을 충분하게 여길 줄 알아야 하고, 너무 많은 부와 명예를 추구하지 말라고 충고한다. 그래서 평상심(안정)과 행복을 오래 누리려는 사람은 도의 법칙을 지녀야 한다. 즉. 대단한 일을 수행한 뒤에 곧 물러남이, 즉, 물이 이미 가득 담긴 그 그릇에서 손을 떼야 한다.

[논평]

개인의 명성과 이익을 추구하고 물질적 즐거움에 탐닉은 평범한 사람들의 공통적인 일상의 습관이다. 우리 같은 사람인데도 현명한 노자는 물론 그런 점들을 내치지 않았지만, 이런 중요한 원칙을 보여준다. 즉, 생명과 물질적 향유에 대한 인간 태도에 있어 비과다성(非過多性)을 말하고 있다, 즉, 우리에게 자신의 욕구를 만족하게 둘 때, 기준을 알아야만 함을 가르쳐 주고 있다. 만일 그렇지 않다면 그 넘침은 분명 나쁜 상태로 인도하거나, 파멸로 인도한다고 경고하고 있다.

이 장에서 노자는 서로의 변화 속에서의 대립 입장에 대한 자신의 변증법적 사상을 더욱 발전시키고 있다(예를 들어, 너무 잘 벼려진 칼날은 오랫동안 날카로움을 유지할 수 없다; 너무 많은 황금과 비취는 안전하게 보전하기란 쉽지 않다; 부와 영예를 자랑함은 파멸의 원인이 된다). 이 사상은 중국 고대철학의 향후 발전과 사회에서 인간의 적절한 행동에 대한 중요한 의미가 있다.

第十章 제10장
ĈAPITRO 10

載營魄抱一(재영백포일)。
能無離乎(능무리호)。
專氣致柔(전기치유)。
能嬰兒乎(능영아호)。
滌除元覽(척제원람)。
能無疵乎(능무자호)。
愛民治國(애민치국)。
能無知爲乎(능무지위호)。
天門開闔(천문개합)。
能爲雌乎(능위자호)。
明白四達(명백사달)。
能無爲乎(능무위호)。
生之(생지) 畜之(축지)
生而不有(생이불유)。
爲而不恃(위이불시)。
長而不宰是謂元德(장이부재시위원덕)。

혼백(魂魄)이 일체가 되어
도를 안고 그것에서 떨어지지 않게 할 수 있는가?
기운을 집중하여
어린아이처럼 유연할 수 있는가?
마음속 깊은 곳을 마음의 거울로 관조하고
그 거울의 흠을 없게 할 수 있는가?
백성을 사랑하고 나라를 다스림에
무위(無爲)로 할 수 있는가?
하늘의 문을 개폐하면서
여성처럼 부드럽고 차분하게 할 수 있는가?
감각이 느껴져도 흔들리지 않을 수 있는가?
모든 것에 훤해도 아무것도 모를 수 있는가?

도는 만물을 낳고 기르지만,
낳아 주었다고 소유하려 하지 않고,
잘 길러 주지만 주재하려 하지 않는데,
이것을 기본적 도덕(元德)이라고 한다.

Ĉu vi, unuigante la animon kun la korpo,
Povas eviti ilian disiĝon?
Ĉu vi, koncentrante la vitalan forton kaj la spiradon,
Povas fariĝi tiel supla, kiel infaneto?
Ĉu vi, klarigante vian internan spegulon[1],
Povas purigi ĝin de ĉiaj makuloj?
Ĉu vi, regante la regnon kun amo al la popolo,
Povas teni vin je "senagado"?
Ĉu vi, malfermante kaj fermante la pordojn de la Ĉielo[2],
Povas ludi la rolon de la Femalo[3]?
Ĉu vi, perceptante kaj komprenante ĉion inter la kvar direktoj,
Povas esti libera de ĉiaj scioj?
Lasi ĉiujn estaĵojn kreski kaj reproduktiĝi,
Doni vivon al ĉiuj estaĵoj sen ilin posedi,
Meti ilin en movon sen atribui al si la meriton,
Kaj esti ilia suvereno sen ilin regi,
— Jen la profunda Virto.

[1] En la ĉina lingvo *xuan-lan* laŭvorte signifas misteran spegulon, per kiu Laŭzi metafore aludas la klaran plejprofundon de la homa koro.

[2] "La pordoj de la Ĉielo" aludas la aperturojn de tiaj sensorganoj, kiel la oreloj, okuloj, nazo kaj buŝo; ili ricevis tian nomon pro tio, ke ili estas donitaj al la homo de la Ĉielo.

[3] "Ludi la rolon de la Femalo" ĉi tie signifas fari sin milda kaj kvietema, mola kaj malforta, kiel la femalo.

1 중국어 '元覽xuan-lan' 은 신비한 거울을 뜻하는데, 이를 이용해 노자는 은유적으로 인간의 마음에서의 가장 명확한 깊은 곳을 암시하고 있다.

2 “하늘의 문La pordoj de la Ĉielo” 이란 감각기관, 즉 귀, 눈, 코와 입의 틈새를 말한다; 이들은 하늘이 인간에 부여한 것이기에 그 이름을 붙였다.
3 “여성 역할을 하는 것Ludi la rolon de la Femalo”이란 말은 여기서 자신을 온화하고 조용하고, 유연하고, 연약한 여성처럼 행동함을 말한다.

[해설]

이 장에서 노자는 인간 신체의 잠재력과 우주 가운데서 인간 위치에 대하여 논하고 있다. 정신을 깨끗하게 함으로써 도덕적 특성을 배양하고, 호흡(숨쉬기) 연습(spirekzerco)으로써 신체를 강화시키는 몇 가지 방법은 바로 -도인들이 언제나 신비하게 여기는 것이다. 여기서 노자는 **“무위**senagado” 에 대한 자신의 정치적 견해를 더욱 발전시키고 있다. 그는 피력하기를, 자연 또한 **“무위”**를 따르고, 자신을 물러섬이라는 행위를 통해 자신을 지킨다. 인간세계를 신비한 자연 세계와 평형하게 둠으로써, 그는 사회적, 정치적 문제에 대한 지도 원칙으로 **“무위”** 를 실천하고 있다.

[논평]

이 장에서 노자는 2가지 주요 문제를 말하고 있다: 자신의 도덕성을 어떻게 양성할 것인가(修身)? 또 백성을 사랑하며 어떻게 나라를 다스릴 것인가(治國愛民)?. 그에 따르면, 도덕성의 양성(修身)법이 바로 나라의 다스림과 정치 분야(治國愛民)에도 적용되어야 한다: 통치자는 다스림에 있어 유연해야 하고, 여성 역할을 해야 하고 “무위” 원칙을 실천해야 한다. 실제로 노자가 자기 수양 방식과 나라를 다스림으로 제안된 원칙은 노자의 자연 철학의 적용과 전혀 다르지 않다. 그리고 또한 백성을 향한 통치자의 사랑 또한 “무위” 원칙, 즉 도에 부합해야 한다.

第十一章 제11장

ĈAPITRO 11

三十輻共一轂(삼십복공일곡)。
當其無(당기무)。
有車之用(유거지용)。
埏埴以爲器(연식이위기)。
當其無(당기무)。
有器之用(유기지용)。
鑿戶牖以爲室(착호유이위실)。
當其無(당기무)。
有室之用(유실지용)。
故有之以爲利(고유지이위리)。
無之以爲用(무지이위용)。

서른 개의 바퀴살이 하나의 축으로 모여 있어,
이 축의 가운데 공간으로 인하여,
그 마차로서의 쓰임이 있게 된다.
진흙을 이겨 그릇을 만들면,
이 용기 중간의 공간으로 인하여,
그 그릇의 쓰임이 있게 된다.
문과 창을 내어 집을 만들면,
그 공간으로 인하여 집의 쓰임이 있게 된다.
따라서 있음의 이로움은 없음의 쓰임이 있기 때문이다.

Tridek spokoj konverĝas al la nabo;
Estas ĝia malplena centro,
Kiu faras la ĉarradon uzebla.
Ni knedas argilon kaj faras el ĝi vazon;
Estas la malplena interno,
Kiu faras la vazon utiligebla.

Ni boras murojn kaj faras pordojn kaj fenestrojn;
Estas la malpleneco de la aperturoj,
Kiu faras la domon loĝebla.
Tial ni tiras avantaĝon el tio, kio ekzistas,
Kaj uzas la avantaĝon per tio, kio ne ekzistas.

[해설]
노자는 설파하기를, '유(有:존재)' 라는 것은 '무' (無:무존재)와 구분될 수 없고, 무 또한 유와 마찬가지로 중요하다. 사물은 그 형태를 가지는 것이 유이지만, 그 쓰임은 그 안에 들어있는 허공 또는 무(무존재)에 의존한다. 즉, '유' (존재)와 '무' (무존재)의 변증법적 통일이다.

[논평]
실생활에서 사람들은 보통 형체가 있는 사물만 볼뿐, 가장 핵심인 무형의 사물에는 덜 주목한다; 실제 존재하는 사물의 효과만 볼뿐, 그 허공(무)의 기능에는 덜 주목한다. 역설적으로 이 장에서는 텅 빔(무)의 가능성에 대해 3가지 사례를 보여줌이 곧 노자를 위대한 현인으로 추앙할 만하다. 실제, 노자가 주목한 허공(텅 빔)의 기능은 유(有:존재)와 무(無:무존재)라는 두 개의 대비되는 것이 상호 의존성과 통일성의 시현이다: 무(무존재)의 기능은 존재물의 존재가 있기에 생겨난다. 또 정반대 경우도 있다. 노자 생각은 변증법의 빛나는 빛을 발산하고, 철학적 이론을 위해서도 의미가 있다. 그렇게 인간의 실제 삶을 위해서도 의미가 있다.

第十二章 제12장
ĈAPITRO 12

五色令人目盲(오색령인목맹)。
五音令人耳聾(오음령인이롱)。
五味令人口爽(오미령인구상)。
馳騁畋獵令人心發狂(치빙전렵령인심발광)。
難得之貨令人行妨(난득지화령인행방)。
是以聖人爲腹不爲目(시이성인위복불위목)。
故去彼取此(고거피취차)。

다섯 가지 색깔은
사람들의 눈을 멀게 하고,
다섯 가지 음은
사람들의 귀를 멀게 하며,
다섯 가지 맛은
사람들의 입맛을 상하게 하고,
경마와 사냥은
사람들의 마음을 미치게 하며,
얻기 힘든 금은보화는
사람들의 행위를 어지럽게 한다.
따라서 성인은 자신의 기본 욕구인 배를 채울 뿐
눈의 호사스러움을 바라지 않는다.
즉 호사로움을 물리치고 기본 욕구를 취한다.

La kvin koloroj[1] blindigas la okulon.
La kvin tonoj[2] surdigas la orelon.
La kvin gustoj[3] sensentigas la palaton.
La ĉevalvetkuro kaj ĉasado frenezigas la menson.
La raraj valoraĵoj tentas al ŝtelado kaj rabado.
Tial la Saĝulo[4] kontentigas nur la stomakon, ne la okulon.

Jen kial Li preferas tion ĉi, ol tion.

[1] "La kvin koloroj", nome la ruĝo, flavo, bluo, blanko kaj nigro, ĉi tie signifas brilan buntecon.

[2] "La kvin tonoj", nome la kvin notoj de la antikva ĉina kvintona gamo (do, re, mi, sol kaj la), ĉi tie signifas tre agrablajn mizikajn sonojn.

[3] "La kvin gustoj", nome la dolĉeco, acideco, amareco, akragusteco kaj saleco, ĉi tie signifas bongustegajn frandaĵojn.

[4] Vd. noton 1 de ĉap. 2.

1 "다섯 색깔La kvin koloroj"이란, 붉음, 노랑, 푸름, 하양과 검정인데, 여기서는 휘황찬란한 다채로움을 뜻한다.

2 "다섯 목소리(성조)La kvin tonoj"란, 이름하여, 중국 고대 5개 음조(도, 레, 미, 솔, 라), 여기서는 아주 귀에 듣기 좋은 음악 소리를 뜻한다.

3 "다섯 맛La kvin gustoj"이란, 이름하여, 달고, 시고, 쓰고, 맵고 짬을 말하는데, 여기서는 맛난 군것질거리를 뜻한다.

4 제2장 주1을 보라.

[해설]

우리에게 물질적 즐거움을 주지만 건강한 심지(설득력)를 잃게 만드는 색채, 음성과 맛 등은 각종 사회악의 근원이다. 현인이라면 자신의 영양을 위해 자신의 배를 채울 뿐이고, 자신의 눈이 악의 유혹에 빠지는 것을 가만히 두지 않는다.

[논평]

모든 인간은 예외 없이 물질적 즐거움에 대한 욕구를 가진다. 우리가 물질문명 사회에서 살고 있듯이, 마찬가지로 그렇게 살아왔던 노자는 물론 모든 물질적 안락을 구분 없이 거부할 수는 없었다. 이 장에서는 "배를 채움"이라는 표현을 통해 그는 실제 물질적 즐거움에 대한 인간의 자연적인 욕구를 충족한다고 말한다. 노자는 우리가 무분별한, 너무 사치한 삶의 즐거움을 자제할 필요 있음을 우리에게 알려주려 한다.

第十三章 제13장
ĈAPITRO 13

寵辱若驚(총욕야경)。
貴大患若身(귀대환약신)。
何謂寵辱若驚(하위총욕약경)。
寵爲下(총위하)。
得之若驚(득지약경)。
失之若驚(실지약경)。
是謂寵辱若驚(시위총욕약경)。
何謂貴大患若身(하위귀대환약신)。
吾所以有大患者(오소이유대환자)。
爲吾有身(위오유신)。
及吾無身(급오무신)。
吾有何患(오유하환)。
故貴以身爲天下(고귀이신위천하)。
若可寄天下(약가기천하)。
愛以身爲天下(애이신위천하)。
若可託天下(약가탁천하)。

총애와 영욕은 놀랄 만한 일이고,
자신의 몸은 마치 큰 우환을 당한 듯 귀하게 여겨야 한다.
총애와 영욕 모두 놀랄 만한 일이란 무엇을 의미하는가?
총애는 본래 비천한 것으로,
총애를 얻으면 놀라고
잃어도 놀라기 때문에
총애와 영욕 모두 놀랄 만한 일이다.
자신의 몸을 마치 큰 우환을 당한 듯 귀하게 여긴다는 것은 무슨 뜻인가?
큰 우환을 느낄 수 있는 것은 나에게 몸이 있기 때문이다.
만약 몸이 없다면 무슨 우환이 있겠는가?
따라서 내 몸을 중시하듯 천하를 위한다면
백성들이 천하를 줄 것이고,

내 몸처럼 천하를 사랑하면
백성들이 천하를 기탁할 것이다.

Favoro kaj malfavoro kaŭzas konsternon.
Granda malfeliĉo estas same grava, kiel nia korpo.
Kion do signifas, ke favoro kaj malfavoro kaŭzas konsternon?
La favoro estas humiliga per si mem;
Ĝin ricevante kaj perdante
Oni same konsterniĝas, —
Jen kion signifas, ke favoro kaj malfavoro kaŭzas konsternon.
Kion do signifas, ke granda malfeliĉo estas same grava, kiel nia korpo?
La kaŭzo, kial granda malfeliĉo nin trafas,
Kuŝas en tio, ke ni havas la korpon.
Se ni ne havus la korpon,
Kia malfeliĉo povus fali sur nin?
Tial nur al tiu, kiu zorgas pri la aliaj, same kiel pri si mem,
La mondo povas esti konfidita;
Kaj nur tiu, kiu amas la aliajn, same kiel sin mem,
Estas inda je la regado super ĝi.

[해설]

이 장에서 노자는 인간 신체의 중요성에 대한 사상을 내보인다. 총애와 영욕이 인간을 놀라게 하는 원인은 총애를 잃음 뿐만 아니라 총애를 입음 또한 사람의 위신에 상처를 준다는 그 점에 있다. 노자에 따르면, 그 2가지 경우 모두 큰 불행이기 때문이다. 일반적으로 사람들은 총애나 영욕을 얻음이 자신의 신체보다 중하다고 하지만, 노자는 우리에게 큰 불행을 대할 때와 마찬가지로 우리 신체에도 똑같은 관심을 가지기를 조언한다. 다른 사람을 사랑하고 관심을 보이는 이만이, 자기 자신을 사랑하고 관심을 보이는 것과 마찬가지로, 자신의 중차대한 임무를, 예를 들어, 세상의 통치를 수행할 수 있다.

[논평]

이 장은 주로 신체의 중요성과 신체의 소용없음의 중요성을 설파하고 있다. 어떻게 사람이 제 몸을 중요시하게 여기고 이를 보전할 수 있는가? 노자에 따르면, 사람은 자기 신체에 상처를 입히는 총애나 영욕은 무시한 채로 두어야 한다. 왜 그럼 총애나 영욕은 사람의 신체에 상처를 입힐 수 있는가? 왜냐하면, 어느 중요한 사람에게 총애를 받으면, 그 사람은 거만해지고, 다른 사람보다 자신이 더 우월하다고 여기고, 한편으로는 그렇게 받은 총애를 혹시나 잃어버릴지 모른다는 걱정으로 항상 고충을 당하면서, 아주 큰 주의를 갖고 늘 행동한다. 또 그 총애를 베푸는 이의 얼굴 안색을 보고, 이에 따라 자존심을 잃은 채로 행동하기 쉽다. 이런 의미에서 총애를 받음은, 영욕을 당하는 것과 마찬가지로, 실제로는 인간 위엄성에 대한 상처이다. 내 신체의 중대함을 보전하는 것은 자기 존경심의 보전이고, 개인 가치의 확인이다. 그래서 노자는 말하기를, 사람은 자기 독립과 자존을 총애나 계급이나 영예로운 타이틀보다 더 중요시해야 한다고 한다. 그렇게 해야만, 사람들은 자신의 자립심과 자기 존경심을 보전할 수 있다. 따라서 그런 사람은 백성의 신임과 또 나라를 통치할 가치를 지니는 것이다.

第十四章 제14장
ĈAPITRO 14

視之不見名曰夷(시지불견명왈이)。
聽之不聞名曰希(청지불문명왈희)。
搏之不得名曰微(박지부득명왈미)。
此三者不可致詰(차삼자불가치힐)。
故混而爲一(고혼이위일)。
其上不皦(기상불교)。
其下不昧(기하불매)。
繩繩不可名(승승불가명)。
複歸於無物(복귀어무물)。
是謂無狀之狀(시위무상지상)。
無物之象(무물지상)。
是謂惚恍(시위홀황)。
迎之不見其首(영지불견기수)。
隨之不見其後(수지불견기후)。
執古之道(집고지도)。以禦今之有(이어금지유)。
能知古始(능지고시)。
是謂道紀(시위도기)。

보아도 보이지 않아 형상이 없다고 하고,
들어도 들리지 않아 소리가 없다고 하고,
잡으려고 해도 잡히지 않아 형체가 없다고 한다.
이 3가지는 뒤섞여 하나가 되었다고 할 수 있다.
위쪽이라고 더 밝은 것도 아니고,
아래쪽이라고 해서 더 어두운 것도 아니다.
끊임없이 이어지고 있어 이름을 붙일 수도 없고,
종국에는 무물(無物)의 상태로 돌아간다.
이것은 형상 없는 형상이라 부르고,
실체없는 모양이라 부르니,
그저 황홀하다고 부른다.

맞이해도 그 머리가 보이지 않고,
따라가도 그 꼬리가 보이지 않는다.
태초부터 존재했던 도에 근거해야
지금의 이치를 파악할 수 있고,
태초의 시작을 알 수 있는 것을
도의 규율(道紀)이라 부른다.

Oni rigardas ĝin kaj ĝi ne estas vidata:
Ĝi estas nomata la Nevidebla.
Oni aŭskultas ĝin kaj ĝi ne estas aŭdata:
Ĝi estas nomata la Neaŭdebla.
Oni penas palpi ĝin kaj ĝi ne estas tuŝata:
Ĝi estas nomata la Nepalpebla.
Tiuj ĉi tri kvalitoj, kiuj ne estas precize difineblaj,
Faras ĝin integra tuto mistera.
Ĝia supro ne estas brila,
Ĝia subo ne estas malhela.
Senfina kaj senlima, apenaŭ nomebla,
Ĝi revenas al la origina neekzisto.
Tio estas nomata la senforma formo,
La senkorpa bildo;
Tio estas nomata la Nepalpebla kaj Neperceptebla.
Starante antaŭ ĝi, oni ne vidas ĝian vizaĝon;
Sekvante ĝin, oni ne vidas ĝian dorson.
Teni sin je la antikva Taŭo por mastri la nunajn aferojn,
Por povi koni la praan komencon,
— Tio estas nomata la leĝo de la Taŭo.

[해설]
이 장은 도(道)란 다른 구체적 사물과 구분되며, 그래서 도는 감지되지 않으며, 인식되지 않으며, 바로 이 점이, 왜 도란 무형의 상태이고, 그림처럼 보이지 않아도, 모든 실제적 구체적 사물의

주인임을 말하고 있다.

[논평]
이 장에서 노자는 도의 불감지성을 더 자세히 설명하고 있다. 그에 따르면 도는 집적된 신비한 추상적 일체(본체, 전체)인데, 이는 무형상이고, 무색이고, 소리도 없다. 따라서 이는 보이지 않고, 감지되지도, 들리지도 않는다; 그러나 언제 어디서나 존재하고, 시간과 공간을 넘어서조차 존재한다. 그렇지만, 그런 불감지성과 불체험성에도 불구하고, 노자는 실제로 그 인식성을 부정하지 않는다; 이성적 사유를 통해 사람은 그 도를 어느 정도 알고 이해할 수 있다.

第十五章 제15장
ĈAPITRO 15

古之善爲士者(고지선위사자)。
微妙元通(미묘원통)。
深不可識(심불가식)。
夫唯不可識(부유불가식)。
故强爲之容(고강위지용)。
豫焉若冬涉川(예언약동섭천)。
猶兮若畏四鄰(유혜약외사린)。
儼兮其若容(엄혜기약용)。
渙兮若冰之將釋(환혜약빙지장석)。
敦兮其若樸(돈혜기약박)。
曠兮其若谷(광혜기약곡)。
混兮其若濁(혼혜기약탁)。
孰能濁以靜之徐清(숙능탁이정지서청)。
孰能安以久動之徐生(숙능안이구동지서생)。
保此道者不欲盈(보차도자불욕영)。
夫唯不盈(부유불영)。
故能蔽不新成(고능폐불신성)。

옛날에 도를 터득한 사람은
오묘하면서도 사리에 통달했고,
심오하여 그 실체를 알 수 없었다.
실체를 알 수 없지만
그 형체를 굳이 표현하면
신중함이 마치 겨울철 개울을 건너는 듯하고,
조심함이 마치 사방의 이웃을 두려워하는 듯하고,
의젓함이 마치 손님 같고,
친숙함이 마치 이른 봄 얼음이 녹는 듯하고,
돈후함이 마치 다듬지 않은 원목 같고,
넓음은 마치 계곡 같고,

남을 속임은 마치 탁한 물 같다.
누가 혼탁함을 고요함으로 가라앉혀
서서히 맑게 할 수 있는가?
누가 편안함을 움직이게 하여
서서히 생기가 있게 할 수 있는가?
이런 도를 가진 사람은 가득 채우려 하지 않는다.
무릇 채우려고 하지 않기 때문에
따라서 묵은 것을 버리고 새로 거듭 날 수 있는 것이다.

En la antikveco la Konanto de la Taŭo
Havis saĝon subtilan, misteran, penetreman,
Tro profundan por esti komprenata.
Kaj ĝuste ĉar Li estis super nia kompreno,
Mi povas priskribi Lin nur supraĵe.
Singarda, kiel homo vintre travadanta riveron,
Viglatenta, kiel homo sin gardanta kontraŭ danĝeroj ĉiuflanke,
Gravmiena kaj rezerviĝema, kiel vizitanta gasto,
Cedema, kiel degelanta glacio,
Simpla, kiel neskulptita lignobloko,
Modeste malferma, kiel valo vasta kaj kvieta,
Ĉioampleksa, kiel akvomaso malklara.
Kiu do povas kvietigi la malkvieton,
Ke la malklaro iom post iom klariĝu?
Kiu do povas, mem restante senmova longatempe,
Movi la aliajn al iompostioma vigliĝo?
Tiu, kiu tenas sin je tiu ĉi Taŭo, ne strebas al pleneco.
Kaj ĝuste ĉar Li ne strebas al pleneco,
Li povas konstante renovigi la malnovon.

[해설]
이 장은 도에 도달한 사람에 대한 칭찬이다. 도에 도달한 사람은 섬세하고, 신비롭고 통달(대인)의 특성이 있다; 그의 정신 경계는

보통 사람의 이해성을 훨씬 뛰어넘는다; 그 사람은 조심스럽고 근신하면서도, 순박하고 겸손하다. 그가 하는 일이 뭐든, 절대적 완전성에 애쓰지 않고, 또 그렇게 대단한 실패에도 전혀 실망하지 않는다. 그는 표면적으로는 보수적이나, 실제, 언제나 성공함으로써 호의를 받는다.

[논평]

이 장에서 노자는 도에 도달한 사람을 서술하고 있다. 도에 도달한 사람의 고상한 품격을 알려주고 있다: 그는 신중해야 하고, 활달하면서도, 주의를 기울여야 하고, 진지한 표정으로 양보심이 있고, 순박한 마음으로 겸손해야 하고, 모든 것을 포용할 수 있어야 한다는 등. 그런 특성은 이상적 완벽 인격을 보여주고 있다. 비록 시대가 흘러 그런 고상한 사람의 이상적 특성이, 당시 노자 시대와는 같을 수는 없다 하지만, 노자가 서술한 이 모든 품격은 오늘날도 가치를 가진다.

第十六章 제16장
ĈAPITRO 16

致虛極(치허극)。
守靜篤(수정독)。
萬物並作(만물병작)。
吾以觀複(오이관복)。
夫物芸芸(부물운운)。
各複歸其根(각복귀기근)。
歸根曰靜(귀근왈정)。
是謂複命(시위복명)。
複命曰常(복명왈상)。
知常曰明(지상왈명)。
不知常(부지상)。妄作凶(망작흉)。
知常容(지상용)。
容乃公(용내공)。
公乃王(공내왕)。
王乃天(왕내천)。
天乃道(천내도)。
道乃久(도내구)。
沒身不殆(몰신불태)。

마음을 전부 비우고,
고요함을 두텁게 지켜라.
만물이 모두 생겼다가,
다시 돌아가는 것을 나는 바라본다.
그 만물들은 번성했다가,
각자 다시 그 뿌리로 돌아간다.
뿌리로 돌아가는 것은 고요함이라 말하니
그것은 순리를 따르는 것(復命)이다.
순리를 따르는 것을 변함없음을 말하며
변함없음을 아는 것은 밝음(明)이다.

변함없음을 알지 못하고,
경거망동하면,
흉하다.
변함없음을 아는 것은
포용력이 큰 것이고,
포용력이 크면
공정하며,
공정하면
널리 미치고,
널리 미치면
하늘의 뜻에 부합된다.
하늘의 뜻에 맞는 것이 도이고,
도는 오래가니
죽을 때까지 위험함을 피할 수 있다.

Malplenigu vian menson ĝis ekstremeco;
Lasu vian koron resti en kvieteco.
La miriadoj da estaĵoj formiĝas kaj konkure kreskas,
Dume mi observas iliajn ciklajn ripetiĝojn.
Same kiel vegetaĵoj, ili kreskas diversmaniere
Kaj revenas ĉiu al sia radiko.
Tiu ĉi reveno al siaj radikoj estas nomata "retrovo de la kvieteco",
"La retrovo de la kvieteco" estas nomata "reveno al sia destino";
"La reveno al sia destino" estas nomata "la eterneco",
Kono de "la eterneco" estas nomata "iluminiĝo";
Ignoro de ĝi kondukas al blindaj agoj kaj katastrofo.
Tiu, kiu konas "la eternecon", ampleksas ĉion;
Ampleksante ĉion, li estas senpartia;
Estante senpartia, li agas kiel reĝo;
Agante kiel reĝo, li estas en akordo kun la Naturo;
Estante en akordo kun la Naturo, li estas en akordo kun la Taŭo;
Estante en akordo kun la Taŭo, li estas ĉiamdaŭra
Kaj libera de ĉia danĝero dum sia tuta vivo.

[해설]
노자는 마음을 텅 비움, 만물의 변화와 발전에 대하여 파당심을 갖지 않는, 정관하는 태도를 추천한다. 노자에 따르면, 순환 속의 움직임인 그 변화가 종국에는 자신의 출발점으로 돌아온다. 이는 이름하여 근원으로 돌아옴이다. 최종분석에서, 그런 움직임은 무변화(변화없음), 즉, 고요함과 다르지 않다. 그 고요함이 모든 종류의 변화를 지배하는 일반 원칙이기에, 영원성과 동일시된다. 고요함의 원칙을 따르려면, 사람들은 쉽사리 생각 없이 행동하지 말아야 한다. 이 원칙을 일상의 삶과 정치활동에 적용해, "무위"가 위험을 불러올지도 모를, 모든 종류의 위험 행동을 막을 수 있는 방책이라고 그는 말한다.

[논평]
노자에 따르면, 정신을 극단까지 비우고서 고요 속에 마음을 유지하는 것은 사람의 정신을 모든 극단적 유혹으로부터 저항할 수 있게 하고, 제 고유의 총명함과 이지력(理智力)을 지닌 채 언제나 청정한 깨달음을 얻게 한다.

철학이란, 우리에게 말하기를, 모든 일은 생겨나 마무리되는 과정을 통해야만 한다. 하지만 노자는 말하기를, 그 과정은 발전 과정이 아니라, 왕복 속의 운동이기에, 이름하여 원래 본성으로 회귀하고, 이의 반복인 것이다.

노자에 따르면, "영원성"을 앎이 곧 실제 자연법칙을 앎이다; 그렇게 아는 목적은 "영원성"에 복종하고 이를 지탱하는 것이고, 그런 식으로만 사람들은 어떤 위험에서도 벗어 날 수 있고, 종국에 "영원성"에 도달하는 것이다.

第十七章 제17장
ĈAPITRO 17

太上下知有之(태상하지유지)。
其次親而譽之(기차친이예지)。
其次畏之(기차외지)。
其次侮之(기차모지)。
信不足(신불족)。焉有不信焉(언유불신언)。
悠兮其贵言(유혜기귀언)。
功成事遂(공성사수)。
百姓皆謂我自然(백성개위아자연)。

가장 좋은 정치는 백성들이 통치자가 있는지도 모르는 것이다.
그다음은 백성들이 그를 좋아하고 칭송함이며,
그다음은 백성들이 통치자를 무서워함이며,
그다음은 백성들이 그를 무시하고 깔보는 것이다.
백성으로부터 신임이 부족하면,
백성의 신임을 얻지 못하게 된다.
유연하게 백성들의 일에 간섭하지 않아
중차대한 일이 성사되면
백성들은 모두 우리 스스로가 이룬 것이라고 말한다.

La plej bonaj regantoj estas tiuj, pri kies ekzisto la popolo apenaŭ scias.
La meze bonaj estas tiuj, kiujn la popolo amas kaj laŭdas.
La malpli bonaj estas tiuj, kiujn la popolo timas.
La malplej bonaj estas tiuj, kiujn la popolo malrespektas.
Tiuj, kiuj ne meritas la fidon de la popolo,
Ne povas esti fidataj de ĝi.
Senokupaj kaj senzorgaj, la plej bonaj regantoj malofte donas ordonojn.
Kiam iu grava tasko estas plenumita,
Ĉiuj popolanoj diras: “Ni sekvas la naturan vojon.”

[해설]

노자는 믿기를, “무위”가 통치의 가장 좋은 원칙이며, 가장 좋은 지배자라면 백성이 그 지배자 존재를 거의 느끼지 못할 정도의 “무위”로 다스려야 한다. 그는 지배자들이 행하는 임의의 명령에 대하여 반대한다. 그는 생각하기를, 만일 어떤 정치적 성공이 이뤄졌다 하더라도, 그것은, 지배자가 만든 것이 아니라, 백성이 자발적으로 이룬 일로 봐야 한다.

[논평]

이 장에서 노자는 우리에게 자신의 이상 사회를 제시한다. 그 사회에서 지배자는 매사를 “무위”로 처리하고, 침묵으로 가르치고, 때문에 백성은 거의 그 지배자 존재를 모르고 있다. 지배자는 백성의 신임을 믿고 있고, 백성은 그 지배자를 전혀 무서워하지 않는다. 만일 뭔가 중대한 일이 수행되면, 지배자는 스스로 전혀 칭찬하지 않으며, 모든 백성이 그 성공을 온전히 자연의 일로 바라본다. 그런 사회에서 사람들은 자신을 교활이나 기교에 맡기지 않고, 또 억압의 존재를 느끼지 않는다, 그리고 지배자는 만사를 평안과 서두름 없이 태연자약하게 처리한다. 한 마디로, 이상 사회에서는 “무위”의 원칙만 지배한다.

第十八章 제18장
ĈAPITRO 18

大道廢(대도폐)。
有仁義(유인의)。
慧智出(혜지출)。
有大僞(유대위)。
六親不和(육친불화)。
有孝慈(유효자)。
國家昏亂(국가혼란)。
有忠臣(유충신)。

커다란 도가 없어지자
어짊과 바름이 생겨나고,
앎과 밝음이 나타나자
대단한 위선이 생긴다.
육친(六親)이 불화하자
효와 자애가 생기고,
나라가 혼란에 빠지자
충신이 생겼다.

Kiam la granda Taŭo estas forlasita,
Moraleco kaj perfekta virto leviĝas.
Kiam inteligenteco kaj saĝeco aperas,
Granda hipokriteco ilin sekvas.
Kiam harmonio ne plu regas en familio,
Fila devo kaj gepatra amo sin montras.
Kiam la lando falas en ĥaoson,
Homoj servas ĝin kiel lojalaj ministroj.

[해설]
노자의 눈으로 보면, 인의, 지혜, 자효(慈孝)와 신하의 충성 등의 모두가 병든 사회 현상을 반영하는 것이며, 합리적 이성적인 사회에서는 그러한 도덕심은 절대 생겨나지 않을 것이다. 여기에 그 2가지 대립적인 명제 사이에 노자의 변증법적 사상이 숨어 있다: 지혜와 허위, 자효와 가정 다툼, 나라의 혼란과 신하의 충성 등.

[논평]
노자에 따르면, 왜 인의, 지혜, 자효와 신하의 충성과 같은 모두가 병든 사회의 비정상적 현상이라고 하는가? 이는 다음 원인으로 보았다: 그에 따르면, 이성적인 건강 사회에서는 모든 것이 온전히 자연적이고 조화로우니, 사람들이 뭐든 추천할 필요를 전혀 느끼지 않는다; 그러고 만일 사람들이 온 힘으로 도덕심을 추천한다면, 이는, 도덕심이 당시 그 사회에 부족해 그 도덕심이 절실하게 필요함을 보여준다. 노자의 이러한 파라독스적인 것이 우리로 하여금 뭔가 생각하게 하지 않는가?

第十九章 제19장
ĈAPITRO 19

絕聖棄智(절성기지)。
民利百倍(민리백배)。
絕仁棄義(절인기의)。
民複孝慈(민복효자)。
絕巧棄利(절교기리)。
盜賊無有(도적무유)。
此三者以爲文不足(차삼자이위문부족)。
故令有所屬(고령유소속)。
見素抱樸(견소포박)。
少私寡欲(소사과욕)。

총명함과 지혜를 버리면
백성들의 이익이 백배가 되고,
어짐과 의로움을 버리면
부모 자식 같은 사이로 돌아갈 수 있다.
속임수와 이익을 버리면
도적은 사라진다.
이 세 가지는 인위적이고 꾸민 것으로
천하를 다스리기에 부족한 것들이다.
따라서 백성들이 귀속할 편안한 안식을 주기 위해서는
순수하고 소박한 심성을 갖도록 유도하여
사심과 욕심을 줄이도록 해야 한다.

Forigu la saĝecon kaj rezignu la sagacon[1],
Kaj la popolo havos de tio centoble pli da bono.
Forigu la virton kaj rezignu la juston[2],
Kaj la popolo revenos al fila devo kaj gepatra amo.
Forigu la ruzon kaj rezignu la profitemon,

Kaj malaperos ŝtelistoj kaj rabistoj.
Tiuj ĉi tri, kiel principoj, tamen ne sufiĉas,
Tial devas ekzisti ankoraŭ aliaj, sekvendaj por la popolo:
Modestigi la eksteraĵon kaj simpligi la menson,
Bridi la egoismon kaj malpliigi la dezirojn.

[1] Ĉi tie la "saĝeco" kaj la "sagaco" aludas la ruzecon kaj hipokritecon.

[2] La "virto" kaj la "justo" propre devus servi kiel edifaj rimedoj, sed ofte ili estas uzataj kiel maskoj por kovri hipokritajn kaj malbonajn agojn.

1 여기서 "현명" 과 "잔꾀"란 교활함과 허위의식을 암시한다.

2 "인의" 와 "정의"는 특성적으로 교화적 방식으로 작용해야 하지만, 자주 그것들은 허위와 나쁜 행동을 덮기 위한 덮개처럼 사용된다.

[해설]

노자는 자연의 단순한 상태로의 회귀를 추천한다. 그에 따르면, 다스림의 가장 효과적 방법은 외부에 겸손하고, 의식(정신)을 단순하고, 사심을 감소시키고, 욕망을 낮추기 등으로 보았다.

[논평]

노자의 사상체계에서 가장 심오한 면은 문명에 대한 그의 비판이다. 그는 피력하기를, 총명, 지교, 인(仁)과 의(義), 교활, 이익 등은 인간 자연의 단순성에 반하는 문명의 산물이다. 만일 그것들이 이 사회를 지배하고 있으면, 인간 자연의 본성의 단순성은 피할 수 없을 정도로 손상을 입을 것이기에 노자는 문명화된 사회의 그런 장식품에 반대한다.

第二十章 제20장
ĈAPITRO 20

绝学無忧(절학무우)。
唯之與阿(유지여아)。相去幾何(상거기하)。
善之與恶(선지여악)。相去若何(상거약하)。
人之所畏(인지소외)。不可不畏(불가불외)。
荒兮其未央哉(황혜기미앙재)。
衆人熙熙(중인희희)。
如享太牢(여향태뇌)。
如春登臺(여춘등대)。
我獨泊兮其未兆(아독박혜기미조)。
如嬰兒之未孩(여영아지미해)。
儽儽兮若無所歸(래래혜약무소귀)。
衆人皆有餘(중인개유여)。
而我獨若遺(이아독약유)。
我愚人之心也哉(아우인지심야재)。沌沌兮(돈돈혜)。
俗人昭昭(속인소소)。
我獨昏昏(아독혼혼)。
俗人察察(속인찰찰)。
我独悶悶(아독민민)。
澹兮其若海(담혜기약해)。
飂兮若無止(요해약무지)。
衆人皆有以(중인개유이)。
而我獨顽似鄙(이아독완사비)。
我独異於人(아독리어인)。
而贵食母(이귀식모)。

세속적인 학문을 던져 버리면 근심이 사라진다.
공손하게 대답하는 것과 호통치는 것은 무슨 차이가 있나?
선함과 악함은 무슨 차이가 있나?
사람들이 두려워하는 것만은

두려워하지 않을 수 없다.
우주의 이치는 광활하여 끝이 없기 때문이다.
사람들은 모두 희희낙락하며,
마치 큰 잔치를 즐기는 듯
봄날 누각에 오른 듯하지만,
나만 홀로 담담하게 꼼작도 하지 않고,
마치 웃음을 모르는 어린아이 같다.
지치고 고달파도
마치 돌아가서 쉴 곳이 없는 것 같다.
사람들은 모두 여유 있는 모습이지만,
나만이 홀로 부족한 형상이다.
나는 정말 바보처럼 흐리멍덩한 모습을 하고 있다.
세상 사람들은 모두 밝지만
나는 홀로 혼미하다.
세상 사람들은 모두 똑똑하지만
나는 홀로 답답하다.
나의 모습은 마치 깊은 바다처럼 어둡고,
고공에서 부는 바람처럼 멈춤이 없는 것 같다.
사람들은 각기 쓰임이 있지만
나는 홀로 천하고 미련스럽다.
나만 홀로 사람들과 다른 것은
유독 도(道)를 중시하고 있다는 것이다.

Forĵeti la klerecon[1], ke oni ne plu konu la malĝojon.
Kia estas la diferenco inter jes-respondo kaj riproĉo?
Kia estas la diferenco inter la bono kaj la malbono?
Tio, kion aliaj timas, ne povas ne esti timata.
Tiele estas ekde la pratempo kaj tiele restos eterne!
Ĉiuj aliaj homoj estas tiel gajaj kaj senzorgaj,
Kvazaŭ ili partoprenus en granda festeno
Aŭ ascendus belvidejon por ĝui printempan pejzaĝon,
Dum nur mi sola estas indiferenta, apatia,
Kvazaŭ mi estus bebo ridi ankoraŭ ne povanta,

Aŭ senhejmulo, kiu vagadus lace.
Ĉiuj aliaj homoj havas superfluaĵojn,
Nur mi sola kvazaŭ suferas je nesufiĉeco.
Ho, kia stultulo mi estas, kiu estas en plena malklereco!
Ĉiuj aliaj homoj estas klarmensaj,
Nur mi sola estas en spirita nebuleco.
Ĉiuj aliaj homoj estas sagacaj,
Nur mi sola havas obtuzan kapon.
Mia figuro mallumas kvazaŭ profunda maro,
Senhaltas kvazaŭ blovanta vento en aero.
Ĉiuj aliaj homoj estas kapablaj,
Nur mi sola estas mallerta.
Mi sola estas diferenca de ili ĉiuj,
Ĉar mi estas nutrata de la Patrino, la Taŭo.

[1] Same kiel noto 1 de ĉap. 19.

1 제19장 주1을 보라.

[해설]
노자는 유쾌하고 무관심하게 살아가는 사람을 잔꾀가 있고 통속적이라고 보고, 그는 홀로 자신을 멍청하고 학식 없고, 무능하고 서툴다고 한다. 왜 그런가? 왜냐하면, 그는, 도로 단련된 그는 이미 그의 삶에 대한 태도가 일반인의 삶의 태도와는 달라져 무한의 경지에 들어가 있음을 알 수 있다. 이런 뜻에서 말하건대, 노자의 멍청함이란 바로 그의 정신을 생명 속으로 심오하게 틈입시키는 것을 가능하게 하는, 그런 현명함인 반면, 일반인의 현명함이란 그의 정신의 피상적이고 얕음을 드러낼 뿐이다.

[논평]
자주 중국인들은 자신을, 다른 평범한 영예나 좇고, 이익이나 찾는 평범한 사람들과 구분하려고, 정치나 세상사에 초월해 있다면서 다음과 같은 유명한 말을 하기를 좋아한다: “이 세상의 모든 사람이, 나를 제외하고, 술에 취해 있다” 하지만, 정반대로 노자는 이 장에서 주장하기를, “오호라, 온전한 무지 속에 있는 멍청한 이는 나로구나! 모든 다른 사람들은 말짱한

정신인데, 나만 홀로 정신적 안개 속에 들어있구나. 모든 다른 사람은 총명한데, 나만 홀로 우둔한 머리를 가졌구나" 라고. 이것이 세상에서의 행동의 2가지 방사선으로 퍼져가는 반대되는 행동방식이다.
이 세상에는 거의 모든 사람은 수없이 영예와 이익을 좇는다; 그들은 너무 계산적이라서 자신의 현명함과 잔꾀, 자신들 사이의 경쟁을 위해 너무 많이 사용한다, 그래서 이는, 결국, 그들 중 누군가는 스스로 현명함과 잔꾀의 희생물이 된다. 반면에 도에 영양분을 받은 노자는 그런 자신의 현명함의 잘못 사용과 그런 경쟁심에서 자유로우니, 자신의 개성의 고상함과 올바름을 잘 보전하고 있다. 그는 멍청하고 정신적으로 어둡다고 말하는 것 같아도, 실제로는 정신이 맑고 진실한 현인이다. 노자의 이 파라독스적인 것이 현대 문명사회를 사는 우리에게 뭔가를 생각하게 하지 않는가?

第二十一章 제21장
ĈAPITRO 21

孔德之容(공덕지용)。
惟道是從(유도시종)。
道之爲物(도지위물)。
惟恍惟惚(유황유홀)。
惚兮恍兮(홀혜황혜)。
其中有象(기중유상)。
恍兮惚兮(황혜홀혜)。
其中有物(기중유물)。
窈兮冥兮(요혜명혜)。
其中有精(기중유정)。
其精甚真(기정심진)。
其中有信(기중유신)。
自古及今(자고급금)。
其名不去(기명부거)。
以閱衆甫(이열중보)。
吾何以知衆甫之狀哉(오하이지중보지상재)。
以此(이차)。

큰 덕의 모습은 오직 도를 따를 뿐이다.
도라는 것은 있는 듯 없는 듯하다.
있는 듯 없는 듯하지만
그 가운데 형상이 있다.
심원하고 어둡지만, 그 가운데 정기가 깃들어 있다.
이 정기는 매우 진실하여 그 가운데 믿음이 있다.
자고이래로 그 이름은 사라지지 않아,
그것에 의거하여 만물의 근원을 인식할 수 있다.
나는 어떻게 만물의 처음 모습을 알 수 있을까?
바로 이 도(道)로써 가능한 것이다.

La enhavo de la granda Virto
Estas konforma nur al la Taŭo.
La io, kiu estas nomata la Taŭo,
Havas nenian difinitan formon.
Tiel svaga kaj neperceptebla ĝi estas,
Tamen en ĝi la bildo aperas.
Tiel neperceptebla kaj svaga ĝi estas,
Tamen en ĝi troviĝas io efektiva.
Tiel profunda kaj obskura ĝi estas,
Tamen en ĝi estas tenata la subtila esenco.
La esenco estas tre konkreta,
Kaj en ĝi estas latenta io vera.
De la pratempo ĝis la nuno
Ĝia nomo ĉiam restas,
Per kiu oni ekzamenas la originon de ĉiuj estaĵoj.
Kiel do oni ekkonas la originon de ĉiuj estaĵoj?
Per la naturo de la Taŭo.

[해설]
이 장에서 노자는 도의 특성을 서술한다. 도는 무형상이고, 그림으로도 그릴 수 없고, 보이지 않으나, 실제로 존재하고 삼라만상을 생산한다.

[논평]
이 장에서는 노자가 설명하는 도(道)의 특성 중 영원성이 가장 주목된다. 이는 도란 우주 만물이 있기 전부터 있었고, 앞으로도 사라지지 않을 것이다. 도란 우주 본원이요 우주를 지배하는 보편원칙이요, 객관 세계에서 도가 표현된 것이 바로 우주의 삼라만상이다; 그렇기에 노자는 주목하기를, 도의 본질로 만물의 본원을 고찰하고 인식할 수 있다. 우리는 무한한 우주에 살고, 그 안에는 헤아릴 수 없는 삼라만상과 현상이 있는데, 이들은, 끝없이 다양하여도 예외 없이 도의 지배를 받고 있으니 너무 억지를 부리지 않아도 우리는 말할 수 있다. 만일 우리가 영원한 도를 알고 이해하면, 우리는 이 언제나 변화무상한 사회 환경에서 스스로 전혀 잃지 않을 뿐만 아니라, 우리의 복잡하게 얽혀 있는 인간관계조차도 전혀 당황하지 않을 수 있다.

第二十二章 제22장
ĈAPITRO 22

曲則全(곡즉전)。
枉則直(왕즉직)。
窪則盈(와즉영)。
敝則新(폐즉신)。
少則得(소즉득)。
多則惑(다즉혹)。
是以聖人抱一爲天下式(시이성인포일위천하식)。
不自見(불자견)。故明(고명)。
不自是(불자시)。故彰(고창)。
不自伐(불자벌)。故有功(고유공)。
不自矜(불자긍)。故長(고장)。
夫唯不爭(부유부쟁)。
故天下莫能與之爭(고천하막능여지쟁)。
古之所謂曲則全者(고지소위곡즉전자)。
豈虛言哉(개허언재)。
誠全而歸之(성전이귀지)。

굽으면 온전할 수 있고,
구부리면 곧게 펼 수 있다.
움푹 파인 곳은 가득 채워질 것이고,
오래된 것은 새롭게 될 것이다.
적으면 얻게 될 것이고,
많으면 미혹에 빠질 것이다.
그래서 성인은 도 하나만을 품고,
천하의 규범으로 삼는다.
스스로 드러내지 않아도 언젠가 주목받게 되고,
스스로 옳다고 주장하지 않아도 언젠가 정의가 드러나며,
스스로 자랑하지 않아도 언젠가 공적을 인정받고,
스스로 뽐내지 않아도 언젠가 기억된다.

무릇 다투지 않으니
따라서 천하의 어떤 사람도 그와 다툴 수 없다.
옛말에 굽으면 온전할 수 있다고 했는데
어찌 빈말이겠는가?
실제로 온전해져서 자신의 천수를 다 누릴 수 있을 것이다.

"Estu cedema, kaj vi konservos vin tuta;
Estu fleksebla, kaj vi restos rekta;
Estu malplena, kaj vi fariĝos plena;
Estu kaduka, kaj vi renoviĝos;
Prenu malmulton, kaj vi ricevos;
Havu multon, kaj vi konfuziĝos."
Tial la Saĝulo[1] tenas sin je la Praa Unuo, la Taŭo,
Kaj uzas ĝin kiel la kriterion por juĝi ĉion sub la Ĉielo[2].
Estante neelmontriĝema, Li havas saĝon brilan;
Ne konsiderante sin ĉiam prava, Li estas prudenta;
Ne farante fanfaronojn, Li estas merita;
Ne fierante pri si mem, Li estas eminenta.
Ĝuste ĉar Li ne konkuras,
Neniu en la mondo povas konkuri kun Li.
Kiel do povus esti malplena frazo la antikva popoldiro:
"Estu cedema, kaj vi konservos vin tuta"?
Tenante sin je la Taŭo, oni ja povas konservi sin bone.

[1] Vd. noton 1 de ĉap. 2.

[2] La esprimo "sub la Ĉielo" (ĉinlingve: tian-xia) en tiu ĉi libro signifas "la mondon", "la universon" aŭ "la regnon".

[1] 제2장 주1을 보라.

[2] "천하" (중국어: 天下tian-xia)는 이 책에서 "세계", "우주" 또는 "나라(영토)"를 말한다.

[해설]

이 장에서 앞의 6개 문장은 고래로부터 있어 온 백성의 소리인데,

그 고래란 노자 이전에 있었던 시대를 말한다. 이 문장들에서는 다음과 같은 변증법적 사고가 들어있다: 질문을 고찰하면서, 사람들은 긍정적인 면이 어떤지를 고려하는 것과 마찬가지로 부정적인 면이 어떤지도 고려한다. 노자에 따르면, 이는 사회를 관찰함에 원칙처럼 따를 수 있다고 한다. 백성의 소리를 통해 노자는 우리에게 양보심을 가져야 하고 경쟁하지 않으려는 마음을 가져야만 다른 사람들이 일상으로 도달할 수 없는 결론에 도달할 수 있다고 말한다. 그것도 전진을 위한 후퇴의 원칙을 적용하는 것이다.

[논평]

이 장에서 노자는 구체적 예시를 통해 서로 대립하는 것들의 상호 변화의 법칙을 설명하고, 독자들이 이 법칙을 나라를 다스리는 일에 이 법칙을 적용하길 권한다, 이름하여, 통치자가 자신의 다스림의 도구로서 이 변증법적 법칙을 사용하라는 말이다.

주목하여 봐야 할 것은, 노자가 여기서 서술한 사고방식은 시대에 뒤떨어진 것이 아니라는 점이다; 이러한 사고방식은 아직도 우리 시대에도 그 현명함은 크게 빛나고 있다. 예를 들어, 드러내지 않으려는 마음, 거짓말하지 않으려는 마음, 겸손해지려는 마음 등은 여전히 오늘날 우리 사회에서도 좋은 덕목으로서 자리하고 있다.

第二十三章 제23장
ĈAPITRO 23

希言自然(희언자연)。
故飄風不終朝(고표풍불종조)。
驟雨不終日(취우불종일)。
孰爲此者(숙위차자)。
天地(천지)。
天地尙不能久(천지상불능구)。
而況於人乎(이황어인호)。
故從事於道者(고종사어도자)。道者同於道(도자동어도)。
德者同於德(덕자동어덕)。
失者同於失(실자동어실)。
同於道者(동어도자)。
道亦樂得之(도역락득지)。
同於德者(동어덕자)。
德亦樂得之(덕역락득지)。
同於失者(동어실자)。
失亦樂得之(실역락득지)。
信不足(신부족)。焉有不信焉(유불신언언)。

말을 적게 하는 것은 자연의 이치에 부합한다.
광풍이 불어와도 아침 내내 불 수 없고
폭우가 쏟아져도 종일 내리지 않는다.
누가 이렇게 하는가?
바로 하늘과 땅이다.
하늘과 땅도 오랫동안 지속할 수 없는데
하물며 사람이 어떻게 할 수 있을까?
따라서 도를 따르는 사람은 도와 일체가 되고,
덕을 다스리는 사람은 덕과 일체가 된다.
도와 덕을 잃게 되면
그 행위가 난폭하고 방자해진다.

도와 일체가 되고자 하면
도도 기꺼이 그를 받아들이고
덕과 일체가 되고자 하면
덕도 기꺼이 그를 받아들인다.
도와 덕을 잃고자 하는 사람은
도와 덕을 잃는 결과에 직면할 것이다.
이처럼 통치자의 신뢰가 부족하면
결국 백성들은 그를 믿지 않게 된다.

Diri malmulton estas laŭ la Naturo.
La ventego ne daŭras unu tutan matenon,
Nek la pluvego daŭras unu tutan tagon.
Kiu do faras ilin tiaj?
La Ĉielo kaj la Tero.
Se eĉ la forto de la Ĉielo kaj la Tero ne povas longe daŭri,
Kiel do povus tiele daŭri tiu de la homo?
Tial tiu, kiu sin tenas je la Taŭo, identiĝas kun la Taŭo;
Tiu, kiu sin tenas je la Virto, identiĝas kun la Virto[1];
Tiu, kiu sin pretigas al la perdo de ili, identiĝas kun la perdo.
Tiu, kiu identiĝas kun la Taŭo,
Estas volonte akceptata de la Taŭo;
Tiu, kiu identiĝas kun la Virto,
Estas volonte akceptata de la Virto;
Tiu, kiu identiĝas kun la perdo,
Estas volonte akceptata de la perdo.
Nur kiam la reganto ne havas sufiĉan fidindecon,
La popolo lin ne fidas.

[1] Ĉi tie kuŝas sencoturno: en la antikva ĉina lingvo "De" povas signifi samtempte "akiron" aŭ "ricevon" kaj "virton".

1 여기서 의미전환이 놓여 있다: 고대 중국어에서 "덕(德De)"은 동시에 "얻음akiro" 또는 "받음ricevo" 과 "덕virto"을 뜻한다.

[해설]

이 장에서 노자는 자신의 도(道)의 원칙과 그 도를 지닐 수 있는 방법을 설파하고 있다. 만일 사람들이 그렇게 믿는다면, 사람들은 이를 성취할 것이다. 만일 그렇지 않으면, 그 사람은 그것을 잃을 것이다. 그는 또한 믿음의 중요성을 강조하면서도, 이 장을 마무리할 때, 그가 한 말을 상기하고자 한다: "통치자의 신뢰가 부족하면 결국 백성들은 그를 믿지 않게 된다."

[논평]

노자에 따르면, 태풍이 하루아침의 순간을 넘기지 않는 이유는, 천지의 법칙, 즉 자연의 법칙에 맞는 것이다. 이로써 그는 우리에게 알려 주기를, 사람은 자신의 행동방식에서 자연법칙을 따라야 한다고 한다. 왜냐하면, 자연현상이 자연의 법칙에 순응하건대, 어찌 인간이 그것들을 따르지 않을 수 있겠는가? 만일 천하의 힘조차도 오랫동안 지속하지 않는다면, 그럼 인간의 힘과 영예와 명예, 직위와 이익 등이 또한 오래 지속될 수 있겠는가? 그리고 사람들이 영예, 명성과 이익을 자신의 양심에 반해 정력적으로 추구함이 어찌 필요하겠는가? 이 세상의 모든 것은 우리에게는 구름이 그렇게 지나가듯이 오로지 헛됨이라는 것만 생각하라!

第二十四章 제24장
ĈAPITRO 24

企者不立(기자불립)。
跨者不行(과자불행)。
自見者不明(자견자불명)。
自是者不彰(자시자불창)。
自伐者無功(자벌자무공)。
自矜者不長(자긍자불장)。
其在道也(기재도야)。
曰餘食贅行(왈여식췌행)。
物或惡之(물혹오지)。
故有道者不處(고유도자불처)。

발뒤꿈치를 들고 서 있으면,
오래 서 있을 수 없고,
가랑이를 벌려 큰 걸음으로 가려고 하면,
제대로 걸을 수 없다.
스스로를 내보이는 사람은 빛나지 못하며,
스스로를 옳다 하는 사람은 드러나지 않으며,
스스로를 자랑하는 사람은 공이 없으며,
스스로에게 만족하는 사람은 오래가지 못한다.
도의 관점에서 보면
이러한 것들은 먹고 남은 밥이나 쓸데없는 행동이다.
미물도 역시 이러한 것들을 싫어하므로
도를 체득한 사람은 이런 행동을 하지 않는다.

Tiu, kiu leviĝas sur la piedfingroj, ne firme staras;
Tiu, kiu faras tro grandajn paŝojn, ne iras longan vojon;
Tiu, kiu estas elmontriĝema, ne havas saĝon brilan;
Tiu, kiu konsideras sin ĉiam prava, ne estas prudenta;

Tiu, kiu fanfaronas, ne estas merita;
Tiu, kiu fieras pri si mem, ne estas eminenta.
Juĝate laŭ la Taŭo,
Tiaj agmanieroj estas nenio alia ol manĝrestaĵoj aŭ verukoj,
Kiujn ĉiu abomenas.
Tial la homo, kiu posedas la Taŭon, ilin evitas.

[해설]
이 장은 노자 철학의 변증법적 관점이 있다. 사람이 전진하려면 일단 후퇴해야만 한다는 그의 사상이 여기에 더 잘 표현된다. 노자는 피력하기를, 이 사상은 도(道)의 원칙에 알맞다고 한다.

[논평]
자신을 드러내려는 마음, 자신을 과장해 말하려는 마음, 자긍심 등은, 어느 정도 겸손하게만 처리하면 허용되는 인간성 중 빈번한 것이다. 하지만, 만일 이들을 통제하지 못하고, 이것들을 자신의 가치를 높이는 수단으로 사용하거나, 이것들을 개인적 흥미를 추구하려는 수단으로 사용하려면, 그때 이것들은 인간 행동의 혐오 방식으로 변할 것이다. 그 때문에 노자는 만일 사람들이 도를 지니려는 마음이 있다면, 이러한 것들을 반드시 피해야 한다고 제안한다.

第二十五章 제25장
ĈAPITRO 25

有物混成(유물혼성)。
先天地生(선천지생)。
寂兮寥兮(적혜료혜)。
獨立不改(독립불개)。
周行而不殆(주행이불태)。
可以爲天下母(가이위천하모)。
吾不知其名(오부지기명)。
字之曰道(자지왈도)。
强爲之名曰大(강위지명왈대)。
大曰逝(대왈서)。
逝曰遠(서왈원)。
遠曰反(원왈반)。
故道大(고도대)。
天大(천대)。
地大(지대)。
王亦大(왕역대)。
域中有四大(역중유사대)。
而王居其一焉(이왕거기일언)。
人法地(인법지)。
地法天(지법천)。
天法道(천법도)。
道法自然(도법자연)。

혼돈된 물체가 하늘과 땅이 생기기 이전에 있었다.
그 물체는 소리도 없고 형체도 없다.
독립적으로 존재하며 바뀌지 않는다.
두루 미치면서 소멸되지 않고,
하늘 아래 만물의 근원이라 할 수 있다.
나는 그것의 이름을 몰라서 도(道)란 글자를 붙인 것이다.

억지로 그 형상을 표현하자면 대(大)라고 해야 할 것이다.
큰 것은 가는 것이고,
가는 것은 멀리 미치는 것이며,
멀리 미치는 것은 원래 위치로 되돌아오는 것이다.
따라서 도가 크고,
하늘도 크며,
땅도 크고,
사람도 또한 크다.
우주 안에 4개의 큰 것이 있는데,
인간도 그중 하나다.
인간은 땅의 이치를 따르고,
땅은 하늘의 이치를 따르며,
하늘은 도의 이치를 따르고,
도는 그 속성이 자연의 이치를 따른다.

Ekzistis io intermiksiĝa kaj nedisigeble unueca,
Kio estiĝis antaŭ ol la Ĉielo kaj la Tero.
Sensona kaj senforma,
Ĝi dependas de nenio kaj neniam sin ŝanĝas,
Ĝi cirkule iradas ĉie kaj neniam haltas.
Ĝi povas esti rigardata kiel la Patrino de ĉio sub la Ĉielo.
Mi ne scias ĝian nomon,
Kaj mi nomas ĝin la Taŭo
Kaj neadekvate kvalifikas ĝin per "granda".
Ĝi estas senfine granda kaj iradas konstante,
Iradi konstante signifas atingi foren,
Atingi foren signifas reveni al la origino.
Tial la Taŭo estas granda,
La Ĉielo estas granda,
La Tero estas granda,
Kaj ankaŭ la Homo estas granda.
En la universo estas kvar grandaj estaĵoj,
Kaj la Homo estas unu el ili.

La Homo sekvas la leĝojn de la Tero,
La Tero sekvas la leĝojn de la Ĉielo,
La Ĉielo sekvas la leĝojn de la Taŭo,
Kaj la Taŭo sekvas la leĝojn de sia propra naturo.

[해설]
여기는 노자 철학 저술의 가장 중요한 장(章) 중 하나이다. 이는 도(道)를 천지 만물의 생성 이전부터 이미 있어 온 뭔가를 말한다. 도란 초월적이다, 왜냐하면 인간 감성을 넘어서기 때문이다. 이는 움직일 수 있고, 언제나 움직인다. 우주에는 4개의 큰 존재가 있다, 즉. 인간, 땅, 하늘과 도(道). 물론, 도("道")가 그 3가지 존재가 생기게 하는 근원이기에 그 넷 중에서 가장 높다.

[논평]
이 장에서 특별히 주목해야 하는 것은, 노자가 도(道)의 운동 과정을 서술하기 위해 4가지 표현을 사용한다: 끝없이 큰 것, 항상 움직이는 것, 저 멀리 도달하는 것, 원래 상태로 돌아옴. 이 4가지 표현을 한 묶음으로, 그는 도의 끊임없는 순환 속 운동의 진행을 표현하는 3가지 문장을 만들어 놓았다. 이것이 바로 도(道)의 운동 특성이자 영원성이다.

第二十六章 제26장

ĈAPITRO 26

重爲輕根(중위경근)。
静爲躁君(정위조군)。
是以聖人终日行不離輜重(시이성인종일행불리치중)。
雖有榮觀(수유영관)。
燕處超然(연처초연)。
奈何萬乘之主(내하만승지주)。
而以身輕天下(이이신경천하)。
輕則失本(경즉실본)。
躁則失君(조즉실군)。

무거움은 가벼움의 뿌리이고,
조용함은 시끄러움의 주인이다.
따라서 군자는 온종일 움직이면서,
짐 실은 수레를 떠나지 않는다.
비록 화려한 생활을 하더라도
초연하게 안주한다.
어찌 큰 나라의 군주가
가볍고 경솔한 행동으로 천하를 다스리려 하는가?
가벼우면 그 뿌리를 잃고,
시끄러우면 그 주인을 잃는다.

La pezo estas la radiko de la malpezo,
La senmoveco estas la mastro de la movo.
Tial la Saĝulo[1], vojaĝante la tutan tagon,
Neniam forlasas sian pakaĵĉaron[2].
Ĝuante luksan kaj komfortan vivon,
Li ne dronas en ĝi.
Kiel do povas esti, ke la reganto de regno de dek mil militĉaroj[3]

Malgrandigas sian gravecon sub la Ĉielo?
La malpezeco neeviteble kondukas al la perdo de la radiko,
La leĝera movo neeviteble rezultigas la perdon de la mastreco.

[1] Vd. noton 1 de ĉap. 2.

[2] Tiu ĉi frazo metafore signifas, ke la Saĝulo neniam agas leĝere aŭ frivole.

[3] Kvankam en la tempo de Laŭzi ĉaroj estis grandkvante uzataj en militoj, tamen nur granda regno povis posedi dek mil militĉarojn. Ĉi tie Laŭzi aludas per tio la reganton de granda regno.

1 제2장 주1을 보라.

2 이 문장은 은유적으로 현인은 절대로 가볍게, 경망스럽게 행동하면 안 된다는 것을 암시한다.

3 노자가 살던 시대에는 마차들이 대부분 전쟁용 물자로 사용되었음에도, 큰 나라라면 1만의 전쟁물자인 전차를 소유할 수 있었다. 여기서 이 말을 사용해 큰 나라 통치자를 말하고 있다.

[해설]

이 장에서 노자는 무거움과 가벼움, 정지와 운동 사이의 모순을 설명하고 있다. 그 무거움과 가벼움, 정지와 운동 중에서 앞선 무거움이나 정지가 그들 중 주요 면모라고 본다. 당시 통치자들의 사치와 향락적 삶을 보면서, 노자는 심오한 아픔을 안고 비판적으로 질문을 하고 있다: "1만의 전차를 가진 나라를 다스리는 자가 하늘 아래 자신의 중요성을 감소시킨다는 것이 어떻게 있을 수 있는가?" 그에 따르면, 큰 나라를 통치하는 사람은 자신의 중요성을 알아야 하고, 나라의 패망을 가져올 수도 있을 통치의 가벼움을 피할 줄 알아야 할 것이라고 질타한다.

[논평]

"무거움은 가벼움의 뿌리요, 정지가 움직임의 주인이다." 라고 노자가 말하였을 때는, 그는 실제 우리에게 보여주기를, 모순에는 중요하고 또 중요하지 않은 면이 있음을, 또 "무거움과 가벼움" 의 모순 사이에 무거움이, 또 "정지와 운동" 의 모순 사이에 정지 상태가 각각 주요한 면임을 알려주고 있다. 진실로, 노자의 그 사고는 그의 변증법에 맞고 또한 대단한 가치를 가진다; 이는 나라의 통치, 군대, 인간 일상사에도 적용될 수 있다. 하지만 노자는 여기서 모순의 주요 면과 부수적인 면은 서로에게 바뀔 수 있다고 보지 않는다. 또 이런 관계에서 그의 변증법은 어느 정도 철저함이 모자란다고 할 수 있다.

第二十七章 제27장
ĈAPITRO 27

善行無轍迹(선행무철적)。
善言無瑕謫(선언무하적)。
善數不用籌策(선수불용주책)。
善閉無關楗而不可開(선폐무관건이불가개)。
善结無繩約而不可解(선결무승약이불가해)。
是以聖人常善救人(시이성인상선구인)。
故無棄人(고무기인)。
常善救物(상선구물)。
故無棄物(고무기물)。
是謂襲明(시위습명)。
故善人者(고선인자)不善人之師(불선인지사)。
不善人者善人之资(불선인자선인지자)。
不贵其師(불귀기사)。
不爱其资(불애기자)。
雖智大迷(수지대미)。
是謂要妙(시위요묘)。

행동을 잘 하는 사람은
흔적을 남기지 않고,
말을 잘 하는 사람은
트집잡힐 허물을 남기지 않고,
계산을 잘 하는 사람은
셈가지를 사용하지 않는다.
문을 잘 잠그는 사람은
빗장을 걸지 않아도 열 수 없으며
잘 묶는 사람은
밧줄을 쓰지 않아도 풀 수 없다.
그래서 성인은 항상 사람들이 지닌 재능을 잘 펼칠 수 있게 인도하여
버리는 사람이 없고, 항상 물건을 쓰임이 있게 잘 이끄니 버려지는 것이 없

다.
이것을 일러 숨은 지혜(襲明)라 한다.
따라서 선한 사람은 선하지 못한 사람의 스승이고,
선하지 못한 사람은 선한 사람의 자원이 된다.
비록 자원을 아낄 줄 모르면
지혜롭다고 하더라도 크게 미혹될 것이며
이를 일러 정교하고 오묘한 이치라 한다.

Tiu, kiu estas lerta en vojaĝado, postlasas neniajn radsulkojn, nek piedsignojn[1];
Tiu, kiu estas lerta en parolado, diras nenion, kio povus esti trovita erara;
Tiu, kiu estas lerta en kalkulado, ne uzas kalkulmarkojn;
Tiu, kiu estas lerta en fermado, bezonas neniajn riglilojn por fermi ion, kio estos nemalfermebla por aliaj;
Tiu, kiu estas lerta en ligado, bezonas neniajn ŝnurojn por ligi ion, kio estos nemalligebla por aliaj.
Tial la Saĝulo[2] estas ĉiam lerta en savado de homoj,
Kaj pro tio neniu estas senutila, forĵetinda;
Li estas ĉiam lerta en savado ankaŭ de objektoj,
Kaj pro tio nenio estas senutila, forĵetinda.
Tio estas nomata la kaŝita saĝeco.
Tial la bonulo estas la instruisto de la malbonulo,
Kaj la malbonulo estas la materialo, el kiu la bonulo lernas.
Tiu, kiu ne honoras sian instruiston,
Nek rigardas tian materialon valora,
Estas multe menskonfuzita, kvankam li pensas sin mem saĝa —
Jen la subtila sekreto.

[1] Vojaĝo neeviteble postlasas radsulkojn aŭ piedsignojn; por postlasi neniajn radsulkojn aŭ piedsignojn, oni do devas ne vojaĝi. Tial ĉi tie "esti lerta en vojaĝado" signifas "fari nenian vojaĝon aŭ iri nur sekvante alies piedsignojn"; tio estas uzata de Laŭzi por aludi "senagadon".

[2] Vd. noton 1 de ĉap. 2.

1 여행이란, 어쩔 수 없이, 바퀴 자국이나 발자국을 남긴다; 아무런 바퀴 자국이나 발자국을 남기지 않으려면, 사람들은 여행하지 말아야 한다. 그 때문에 여기서 "여행에 능숙하다"라는 말은 "아무 여행을 하지 않거나 다른 사람의 발자국만 뒤따라 감"을 의미한다; 이는 노자가 말하는 "무위"를 암시하는 말이다.

2 제2장 주1을 보라.

[해설]

이 장의 첫 부분은 "무위"를 이용한 몇 가지 통치 방법을 설파하고 있다; 둘째 부분은 모든 일을 2가지 면에서 검토할 것을 조언한다. 어느 하나를 내버려 두지 말 것을 조언한다. 만일 사람들이 매사를 그런 식으로 관찰한다면, 유용함이나 무용하다는 것, 혹은 선한 사람과 악한 사람, 이 양자는 제각각 존재 이유가 있다.

[논평]

노자는 "무위"를 "여행이나 연설, 계산, 닫음이나 연결의 능숙함"으로 설명하고 있다. 그것을 통해 노자 철학에서 인간의 모든 종류의 사회적 실천은 자신을 "무위" 의 원칙으로써, 형태를 갖춘 행동 기반 위에서가 아니라, 무형태의 힘의 기반 위에 기초를 두어야 한다고 볼 수 있다.

노자 의견은, 소위 현인이란 도(道)로 다른 사람들에 대응하는 자신의 행동에서, 또, 사람들과 사물을 구원함에서 "무위" 의 원칙의 적용에 능한 바로 그 사람이며, 그 목적으로, 유용과 무용을, 또 선함과 악함을 상호 대립적 면모로 바라본다고 말할 수 있다. 그는 이 둘을 충분히 활용해야만 하고, 다른 것을 대가로 다른 하나를 강조하지 않아야 한다. 그는 자신의 스승으로 선인뿐만 아니라 악인도 포함해야 한다고 했다. 왜냐하면, 그 악인도 "선한 이가 보고 배울 재료(물자)"로 보고, 따라서 그 악인은 멸시하거나 싫어하지 않아야 한다. 그게 노자의 진정한 현명함이다.

第二十八章 제28장
ĈAPITRO 28

知其雄(지기웅)。
守其雌(수기자)。
爲天下溪(위천하계)。
爲天下溪(위천하계)。
常德不離(상덕부리)。
復歸於嬰兒(복귀어영아)。
知其白(지기백)。
守其黑(수기흑)。
爲天下式(위천하식)。
爲天下式(위천하식)。
常德不忒(상덕불특)。
復歸於無極(복귀어무극)。
知其榮守其辱(지기영수기욕)。
爲天下谷(위천하곡)。
爲天下谷(위천하곡)。
常德乃足(상덕내족)。
復歸於樸(복귀어박)。
樸散則爲器(박산즉위기)。
聖人用之(성인용지)。
則爲官長(즉위관장)。
故大制不割(고대제불할)。

남자의 강함을 알고 여자의 부드러움을 지키면
천하가 귀의하는 계곡같은 존재가 된다.
천하가 귀의하는 계곡같은 존재가 되면
항상 덕이 나눠지지 않고
영아(嬰兒)처럼 순수한 상태로 돌아간다.
사회의 밝음을 알고 어두움을 지키면
천하의 모범이 될 수 있다.

천하의 모범이 되면 덕은 항상 어긋나지 않으며
오랫동안 안정을 유지할 수 있다.
영화를 알고 비천함을 지키면
천하의 계곡이 된다.
천하의 계곡이 되면
덕은 항상 넉넉하고
다시 질박한 도로 돌아간다.
질박한 도가 만물에 미치면
성인은 질박함을 유지하며 백관(百官)의 우두머리가 된다.
따라서 완전한 관리는 분열되지 않는다.

Tiu, kiu konas la masklecon,
Kaj tamen gardas la femalecon,
Estas preta fariĝi la ravino[1] de la mondo.
Estante la ravino de la mondo,
Li neniam estas apartigita disde la konstanta Virto
Kaj revenas al la stato simpla, kiel novnaskito.
Tiu, kiu konas la blankecon[2],
Kaj tamen gardas la nigrecon,
Estas preta fariĝi la ilo de la mondo.
Estante la ilo de la mondo,
Li ĉiam restas ĉe la konstanta Virto
Kaj revenas al la origina senfineco.
Tiu, kiu konas la gloron
Kaj tamen gardas la humiliĝon,
Estas preta fariĝi la valo de la mondo.
Estante la valo de la mondo,
Li posedas sufiĉe da eterna Virto
Kaj revenas al la simpleco (*pu*)[3].
Kiam la simpleco (*pu*) estas disrompita, ĝi turniĝas en ilojn.
Uzante la disrompitan simplecon,
La Saĝulo[4] fariĝas la estro de regado.
Tial la perfekta regado ne naskiĝas el artefariteco[5].

[1] La ravino, same kiel la valo ĉi-malsupre, kiu signifas en la filozofio de Laŭzi malaltecon kaj malplenecon, simbolas nekonkuradon kaj humilecon.

[2] Ĉi tie la blankeco simbolas saĝecon aŭ klerecon, dum la nigreco malsaĝecon aŭ malklerecon.

[3] La ĉina vorto *pu* signifas pecon da ligno, kiu ne estas skulptita. Ĝi estas preferata metaforo uzata de Laŭzi por aludi la originan staton de pleja simpleco, kiu estas egala al la Taŭo (Vd. ĉap. 15: "Simpla, kiel neskulptita lignobloko").

[4] Vd. noton 1 de ĉap. 2.

[5] Tio signifas, ke la perfekta regado devas sekvi la leĝojn de la naturo kaj esti konforma al la principo de "senagado".

1 이 계곡(골짜기La ravino)은 이 아래의 계곡(골짜기valo)과 마찬가지로, 노자 철학에서는 낮음, 텅 빔, 비(非) 경쟁심과 수치심을 상징한다.

2 여기서 하양이란 현명이나 학식을 상징하지만, 검정(흑암)은 불민과 무식을 상징한다.

3 중국어 '樸pu' 은 조각되지 않은 나무 쪼가리를 의미한다. 이는 노자가 잘 사용하는 은유 중 하나인데, 도에 상당하는 가장 단순한 원래 상태를 암시한다 (제15장을 보라: "아직 쪼개지지 않은 장작Simpla, kiel neskulptita lignobloko").

4 제2장 주1을 보라.

5 이 말은 완전한 다스림은 자연의 법칙을 따라야 하고 "무위senagado"의 원칙에 맞아야 한다.

[해설]

노자는 의견을 피력하기를, 사람들은 자신을 약한 힘을 가진 상태에 원칙에 두고, 일상생활에서 양보와 물러섬으로써 자신을 지켜야 한다. 그렇게 하여, 그에 따르면, 정치적 활동에서도 그리하면 필시 성공에 이른다.

[논평]

"남성을 아는 것" 과 "여성성을 보전하는 것"은 보통 "자신을 가장 연약한 상태에 두고, 마음을 고요 속에 두고, 자신을 양보심과 물러섬으로 자신을 보전하는 것”으로 해석되지만, 실제로는 “남성을 아는 것” 과 “여성성을 보전하는 것” 은 집적된 개념의 2가지 대립적 면모인데, 그것들의 이성적 해석은 이러해야 한다. 즉, 사람들은 남성성을 이해함으로써 여성성을 보전하고, 동시에 여성성을 지킴으로 남성성을 제어할 수 있다.
이 장에서 노자는 몇 가지 함의(은유)를 사용한다. 예를 들어 “천하의 계곡이 되는 것”, “영아(嬰兒)처럼 순수한 상태로 돌아감”, “천하의 계곡이 되는 것”, “질박함으로 돌아가는 것” 등은 겸양(수치심), 겸손과 단순성을 보이기 위함이다. 이러한 성질들은 오늘날에도 다른 사람을 대함에 있어 행동할 때 가치 있는 것이다.

第二十九章 제29장
ĈAPITRO 29

將欲取天下而爲之(장욕취천하이위지)。
吾見其不得已(오견기부득이)。
天下神器(천하신기)。
不可爲也(불가위야)。
爲者敗之(위자패지)。
執者失之(집자실지)。
故物或行或隨(고물혹행혹수)。
或歔或吹(혹허혹취)。
或強或羸(혹강혹리)。
或挫或隳(혹좌혹휴)。
是以聖人去甚去奢去泰(시이성인거심거사거태)。

천하를 다스리려고 힘으로 한다면,
나는 얻기 어려울 것으로 본다.
천하는 신성한 것이어서,
인위적으로 지배할 수 없다.
인위적으로 지배하려면 실패할 것이고,
집착하면 잃을 것이다.
따라서 성인은 무위(無爲)하기에 패하지 않고,
집착하지 않기에 잃지 않는다.
세상 사람들은 어떤 사람은 앞서고 어떤 사람은 뒤따르며,
어떤 사람은 성정이 완만하고 어떤 사람은 성정이 급하며,
어떤 사람은 강하고 어떤 사람은 연약하고,
어떤 사람은 성공하고 어떤 사람은 실패한다.
따라서 성인은 극단적인 것, 사치적인 것, 과도한 조치를 취하지 않는다.

Tiu, kiu deziras ekregi la mondon kaj atingi iajn rezultojn,
Laŭ mi certe ne sukcesos.

La homa mondo, kiu estas io sankta,
Ja ne povas esti arbitre traktata.
Tiu, kiu arbitras al ĝi, ĝin detruas;
Tiu, kiu penas ĝin teni, ĝin perdas.
Tial el ĉiuj estaĵoj de la mondo
Iuj iras antaŭe dum aliaj sekvas,
Iuj varme spiras dum aliaj malvarme blovas,
Iuj estas fortaj dum aliaj estas malfortaj,
Iuj estas sekuraj dum aliaj estas en danĝero.
Tial la Saĝulo[1] evitas la ekstremecon, la supermezurecon kaj la ekscesecon.

[1] Vd. noton 1 de ĉap. 2.
1 제2장 주1을 보라.

[해설]
이 장은 "무위" 에 대한 노자의 정치사상을 설명하고 있다. 그는 피력하기를, 인간의 노력은 객관적 사고 앞에서 거의 아무 의미가 없다. 때문에, 사람은 매사를 자신의 자연의 발전의 길을 따르도록 두는 것 외에는 다른 선택이 없음을, 따라서 자신의 능력을 넘어서는 아무것도 하지 말아야 하고, 극단적 수단을 취하는 것도 하지 말아야 한다.

[논평]
노자에 따르면, 현인은, 자신의 나라를 잘 다스리려면 "무위" 의 원칙을 따라야 한다, 즉, 자연에 반하는 행동은 하지 않는 것, 절대로 아무렇게나 행동하지 말 것, 임의적이거나 억지를 부림은, 분명 대단한 실패로 고충을 입는다. 이 장에서 분명 주목해야 하는 것은, "무위" 를 따르면서 "현인은 극단을, 정도를 넘어서는 과도함을 피해야 한다" . 노자의 빛나는 이 사상은 여전히 오늘날 우리 시대에도 실제 가치를 지닌다. 왜냐하면, 이는 사회에서의 인간 행동에서, 특히 인간의 과도한 욕망 통제에 대한 생활준칙으로 적용될 수 있다.

第三十章 제30장
ĈAPITRO 30

以道佐人主者(이도좌인주자)。
不以兵強天下(불이병강천하)。
其事好還(기사호환)。
師之所處(사지소처)。荊棘生焉(형극생언)。
大軍之後(대군지후)。必有凶年(필유흉년)。
善有果而已(선유과이이)。
不敢以取強(불감이취강)。
果而勿矜(과이물긍)。
果而勿伐(과이물벌)。
果而勿驕(과이물교)。
果而不得已(과이부득이)。
果而勿強(과이물강)。
物壯則老(물장즉노)。
是謂不道(시위부도)。
不道早已(부도조이)。

도를 가지고 군주를 보좌하려는 사람은
군대로 천하에 강함을 나타내지 않는다.
전쟁은 보복을 당하기 때문이다.
군대가 주둔한 자리에는 가시덤불만이 무성하고
전쟁을 일으킨 뒤에는 반드시 흉년이 든다.
군대를 잘 통솔하는 사람은 소기의 목표를 이루면 바로 멈추지,
병력이 막강하다고 휘두르지 않는다.
소기의 목적을 이루면 자만하거나 과시하거나 교만하지 않고,
부득이한 상황에서 목적을 이룬 것으로 생각하며 강하다고 생각하지 않는다.
사물은 강성함의 극점에 이르면 쇠락함으로
이는 도에 부합되지 않고,
도에 부합되지 않으면 일찍 쇠망한다.

Tiu, kiu helpas la reganton en la maniero de la Taŭo,
Konsilas al li regi la mondon ne per forto,
Ĉar la uzo de forto baldaŭ ricevos repagon:
Tie, kie la armeoj restis, abunde kreskas dornaj arbetaĵoj,
Kaj grandaj militoj estas ĉiam sekvataj de malsategoj.
Tial la saĝa generalo kontentigas sin per sia unua sukceso kaj ĉesas,
Ne kuraĝante plu ekspluati sian venkon.
Atinginte sukceson, li ne fanfaronas pri ĝi,
Atinginte sukceson, li ne sin gloras per ĝi,
Atinginte sukceson, li ne arogantas pro ĝi,
Atinginte sukceson, li prenas ĝin kiel ion faritan malgraŭvole,
Atinginte sukceson, li ne paradas per sia forto.
La estaĵoj, atinginte sian plejfortecon, devas kreski maljunaj[1],
Kio estas kontraŭ la Taŭo.
Kaj ĉio, kio estas kontraŭ la Taŭo, senescepte iras al sia baldaŭa pereo.

[1] Tial, laŭ Laŭzi, oni preferu esti en malforteco kaj moleco.
1 그렇기에, 노자에 따르면, 유연과 약한 상태로 있으라고 말한다.

[해설]
이 장은 노자의 전쟁 반대 사상을 볼 수 있다. 그에 따르면, 전쟁이란 파괴적이고 잔혹해, 어떤 방식으로든지 피해야 하며, 그 때문에, 만일 공격의 위협에는 이에 대응하는 전쟁을 당연히 해야 하지만, 그때에도 그 사안을 신중하게 하여야 하며, 전투에서 승리를 얻으면, 곧 이를 끝내야 한다. 더구나, 여전히 힘자랑할 일도 아니요, 자신의 승리로 거만하지도 말아야 한다. 왜냐하면, 전쟁은 부득이한 상황에서만 일어나야 하기 때문이다.

[논평]
노자는 제 눈으로 전쟁으로 인해 인간의 삶과 사회적 부에 닥친 참상을 직접 보았거나 개인적으로 체험했다. 그러기에 그는 위대한 반전주의자이자 휴머니스트이다. 그의 말씀, 즉 **“소기의 목적을 이루면 자만하거나 과시하거나 교만하지 않고, 부득이한 상황에서 목적을 이룬 것으로 생각하며**

강하다고 생각하지 않는다"라는 이 말씀은 보편적 의미가 있다. 왜냐하면, 이는 전쟁에서만 적용되는 것이 아니라, 인간 사회의 실천에도 적용된다. 예를 들어, 만일 누군가 어떤 업무나 연구에서 무슨 성과를 냈다면, 그 자신은 그런 성공에 대하여 어떤 태도를 해야 하는가? 보통 그때 사람들은 자신의 성공을 자랑거리로 여기며, 어느 정도 자신을 영예롭게 여긴다. 물론, 그런 태도는 정상적이고 비난받을 일은 아니다. 하지만, 만일 사람들이 작은 성취에만 도달해, 너무 자기 만족한 채로, 그 작은 성취에 취해, 거드름피우듯이 자랑하며 자신을 더욱 영광스럽게 여기면, 그러한 결과로, 자신이 상상하던 월계관에서 쉬고 있다면, 사람들은 더는 노력을 하지 않을 것이고, 따라서 더는 발전이 없게 된다. 그런 사람들에게 노자가 위에 언급한 것들은 경고로 받아들일까요?

第三十一章 제31장

ĈAPITRO 31

夫佳兵者不祥之器(부가병자부상지기)。
物或惡之(물혹오지)。
故有道者不處(고유도자불처)。
君子居則貴左(군자거즉귀좌)。
用兵則貴右(용병즉귀우)。
兵者不祥之器(병자불상지기)。
非君子之器(비군자지기)。
不得已而用之(부득이이용지)。
恬淡爲上(염담위상)。
勝而不美(승이불미)。
而美之者(이미지자)。
是樂殺人(시낙살인)。
夫樂殺人者(부락살인자)。
則不可以得志於天下矣(즉불가이득지어천하의)。
吉事尚左(길사상좌)。
凶事尚右(흉사상우)。
偏將軍居左(편장군거좌)。
上將軍居右(상장군거우)。
言以喪禮處之(언이상례처지)。
殺人之衆(살인지중)。
以哀悲泣之(이애비읍지)。
戰勝以喪禮處之(전승이상례처지)。

무릇 무기는 불길한 물건으로,
사람들은 그것을 싫어하여
도를 지키는 사람은 그것에 의지하지 않는다.
군자가 거처할 땐 왼쪽을 귀하게 여기고
군대를 쓸 땐 오른쪽을 귀하게 여긴다.
무기는 불길한 물건으로

군자의 도구가 아니며
부득이 사용할 때는 담담하게 하는 것이 먼저다.
승리해도 좋아해서는 안된다.
좋아한다면 사람을 죽이는 것을 즐기는 것이다.
사람 죽이는 것을 즐겨해서는
천하의 뜻을 얻지 못할 것이다.
따라서 길한 일은 왼쪽을 우선하고
흉한 일은 오른쪽을 우선한다.
지위가 낮은 장군은 왼쪽에 머물고
지위가 높은 장군은 오른쪽에 머무니
이것은 장중한 상례(喪禮)로써 전쟁을 대한다는 의미이다.
전쟁은 많은 사람이 희생됨으로 슬픈 심정으로 참가하고
전쟁에 이겨도 장중한 상례로 대하는 것이다.

La armiloj estas instrumentoj sinistraj,
Kiujn ĉiu abomenas kaj evitas,
Tial tiuj, kiuj posedas la Taŭon, ĉiam estas for de ili.
La nobla generalo, en paca tempo, honoras la maldekstron,
Sed en militaj okazoj li honoras la dekstron[1].
Ĉar la armiloj estas instrumentoj sinistraj,
Ili ne estas la instrumentoj de la nobla generalo.
Kiam li havas nenian elekton kaj devas ilin uzi,
Por li plej bone estas uzi ilin kun indiferenteco kaj deteniĝemo.
Eĉ kiam li gajnas venkon, li ne devas rigardi sin laŭdinda.
Se li laŭdas sian venkon,
Li estas la homo trovanta plezuron en hommortigo.
Tiu, kiu trovas plezuron en hommortigo,
Sukcesos en nenio sub la Ĉielo.
En feliĉaj okazoj la maldekstro estas honorata[2],
En funebraj okazoj la dekstro estas honorata.
La malsupera generalo staras maldekstre,
La supera generalo staras dekstre.
Tio signifas, ke la aranĝo de militaj aferoj sekvas tiun de funebraĵoj[3].

La milito buĉas multegon da homoj,
Tial oni devas iri kun malĝojo al la batalejo.
Eĉ se la batalo estas gajnita, la venko devas esti solenata laŭ funebraj ritoj.

[1] En la antikveco la dekstro estis rigardata kiel la flanko de honoro aŭ pli supera pozicio. Ĉi tie Laŭzi aludas, ke en la ordinara, paca tempo la generalo simile al noblulo estas humila kaj cedema kaj ĉiam honoras sian gaston, cedante al li la dekstran sidlokon kaj mem prenas la maldekstran, dum en la milita tempo li montras sin tute malcedema kaj konkure penas okupi la avantaĝan, superan pozicion por gajni la venkon.

[2] Ĉi tie Laŭzi aludas ke, kvankam la feliĉaj okazoj estas bonvenaj, tamen la funebraj estas pli seriozaj kaj sekve pli gravaj por la homo, ĉar oni povas ne ĝoji pro feliĉaj okazoj, sed oni ne povas ne malĝoji pro funebraj okazoj. Jen kial Laŭzi donas pli grandan gravecon al la funebraj okazoj, ol al la feliĉaj.

[3] Laŭ la antikva kutimo la batala formacio konsistas el tri partoj: la meza (la ĉefkomandanto), la dekstra (la superaj generaloj) kaj la maldekstra (la malsuperaj generaloj). Laŭzi opinias, ke tia formacio similas la manieron, en kiu staras partoprenantoj en funebra ceremonio.

1 고래로부터 오른편은 영예로운 자리나 상급자 위치로 인식된다. 여기서 노자는 암시하기를, 평시에는 장군은 귀족(명인)과 비슷해, 겸손하고 양보심이 있고, 언제나 자신의 손님을 영예롭게 한다, 그는 손님에게 오른편(상석)을 양보하고 자신은 왼편을 취한다, 반면에, 전시에는 장군은 자신을 온전히 양보하지 않고, 경쟁적으로 승리를 쟁취하려고 강점이 있는 상석의 위치를 점하려고 애쓴다.

2 여기서 노자는 암시하기를, 비록 평화로운 시기가 환영을 받지만, 그럼에도, 장례의식을 사람들은 더욱 진지하게, 따라서, 더 중차대하게 받아들여야 한다. 왜냐하면, 사람들은 행복한 일에서 기뻐하지 않을 수도 있지만, 장례식에서는 슬픔을 숨길 수 없다. 그래서 노자는 행복한 시기보다 장례의식에 더 큰 중점을 두었기 때문이다.

3 고대 풍속에 따르면, 전투 대형이 3개 부문, 중앙(주요 지휘부), 오른쪽(상급 대장들)과 왼편(하급 대장들)으로 나뉜다. 노자는 피력하기를, 그 지휘부가 장례식장에서의 참석자 서열 방식과 비슷하다.

[해설]

이 장은 반전(反戰)사상을 논한 앞장의 연속이다. 그 내용 중 일부가 중국 한(漢)나라대에 다소 가필되고, 섞였다고 한다. 어떤 평론가는 "행복한 경우"부터 "장례의 그것"까지의 문장은 원래 "고상한 장군은, 평시에도, 왼편을 영예롭게 하고, / 전시에는 오른편을 영예롭게 한다" -에 대한 논평이다.

[논평]

노자에 따르면, 전쟁이란 사람들이 달리 선택할 수 없을 때만 벌이는 일이다. 만일 뭔가 합당한 이유에도 사람들은 전쟁을 일으켜 승리를 쟁취한 그런 사람들의 행동을 칭찬받을 만한 것으로는 여기지 않는다. 왜냐하면, 그것은 살인과 다르지 않기 때문이다. 이 점에서 노자는 진정한 위대한 반전(反戰) 휴머니스트이다.

第三十二章 제32장

ÊAPITRO 32

道常無名(도상무명)。 樸雖小(박수소)。
天下莫能臣也(천하막능신야)。
侯王若能守之(후왕약능수지)。
萬物將自賓(만물장자빈)。
天地相合(천지상합)。
以降甘露(이강감노)。
民莫之令而自均(민막지령이자균)。
始制有名(시제유명)。
名亦既有(명역기유)。
夫亦將知止(부역장지지)。
知止可以不殆(지지가이부태)。
譬道之在天下(비도지재천하)。
猶川穀之於江海(유천곡지어강해)。

도는 항상 이름도 없이 질박한 상태로 있다.
비록 작지만
천하의 어느 누구도 지배할 수 없다.
제후와 왕이 이를 지킬 수 있다면
만물은 스스로 귀순할 것이다.
천지의 음양이 화합하며 감로(甘露)를 내리면
백성들은 명령하지 않았어도 스스로 균등해진다.
관리를 시작하면서 여러 가지 명분이 생기고
명분을 가지면 역시 멈출 줄 알아야 하며
멈출 줄 알면 위험하지 않을 수 있다.
도가 천하에 있다고 예를 들자면
하천과 계곡물이 마치 강과 바다로 흘러 들어가는 것과 같다.

La Taŭo estas eterna, sennoma kaj simpla.

Kvankam ŝajne malgranda, ĝi povas esti subigita al nenio sub la Ĉielo.
Se la reĝoj kaj la princoj alkonformigus sin al ĝi,
Ĉiuj estaĵoj nature submetus sin al ili.
La harmonio de la Ĉielo kaj de la Tero
Descendigas dolĉan roson[1] al la homoj,
Kaj senordone la popolo egale ĝin ricevas.
Kiam naskiĝis la estaĵoj, tiam aperis iliaj nomoj;
Ĉar ili jam ricevis siajn nomojn,
Oni devas scii la limojn kaj la mezurojn en sia agado.
Sciante la limojn kaj la mezurojn, oni povas eviti ĉian danĝeron.
Ĉio sub la Ĉielo estas ampleksita de la Taŭo,
Same kiel ĉiuj riveroj fluas al la maro.

[1] Laŭ la kredo de antikvuloj, "dolĉa roso" falas al la homoj nur tiam, kiam la mondo estas en plena paco.

1 고대인들의 믿음에 따르면, "달콤한 이슬"이 인간에게 내릴 때는 이 세상이 완전한 평화에 들어있을 때다.

[해설]
이 장은 계속 "무위"의 정치사상을 더욱 진전시키고 있다. 이는 우리에게 과장된 일을 하지 말 것을, 우리 행동을 적당함의 수준에서 행하기를 제안하고 있다. 이는 역시 말하고 있다. 다른 사람의 믿음을 얻으려면, 우리는 자신을 더욱 겸손의 자리에 두어야 한다.

[논평]
이 장은 도(道)의 영원성, 이름 지을 수 없음과 질박함을 설명하고 있다. 노자 주장에 따르면, "**천지의 음양이 화합하며 감로(甘露)를 내리면 백성들은 명령하지 않았어도 스스로 균등해진다.**" 즉 우리는 모든 사람 사이의 평등에 대한 그의 사상을 볼 수 있다.
이 장에서 다음의 문장에 눈길이 간다: "**관리를 시작하면서 여러 가지 명분이 생기고 명분을 가지면 역시 멈출 줄 알아야 하며 멈출 줄 알면 위험하지 않을 수 있다.**"

노자에 따르면 그 주재자는, "무위" 로 나라를 다스리려면, 제 나라의 행정 기능을 정의해야 하고, 관료들에게 적절한 이름을 주어야 한다. 이를 통해 모든 사람이 자신의 의무를 더 잘 수행할 수 있게 한다. 또, 나라 관리들이 그 다스림에 있어 주관자의 도움을 받아, 자신의 경계와 측정을 알아야 한다, 그때 좋은 질서와 조화가 생겨 온 나라에 다스려질 수 있다.

第三十三章 제33장
ĈAPITRO 33

知人者智自知者明(지인자지자지자명)。
勝人者有力(승인자유력)。
自勝者強(자승자강)。
知足者富(지족자부)。
強行者有志(강행자유지)。
不失其所者久(부실기소자구)。
死而不亡者壽(사이불망자수)。

타인을 아는 사람은 지혜롭고,
자신을 아는 사람은 밝다.
타인을 이기는 사람은 힘이 세지만,
자신을 이기는 사람은 강하다.
만족할 줄 아는 사람은 이미 부자이고,
힘써 해나가는 사람은 의지가 있고,
제 자리를 잃지 않는 사람은 오래가고,
죽어도 도를 잃지 않는 사람은 장수한다.

Tiu, kiu bone konas aliajn, estas saĝa;
Tiu, kiu bone konas sin mem, posedas la lumon.
Tiu, kiu konkeras aliajn, estas forta;
Tiu, kiu konkeras sin mem, estas potenca.
Tiu, kiu estas kontenta, estas riĉa;
Tiu, kiu agas kun persisteco, havas volon;
Tiu, kiu ne perdas sian radikon, estas longedaŭra;
Tiu, kiu mortas kaj tamen ne malaperas, ĝuas longan vivon.

[해설]

이 장은 일련의 사상들을 서술하고 있다. 이것들은 자신을 돌아봄으로 도덕적 정신 수양을 목표로 삼고 있다. 노자는 강조하기를, 사람은 자신을 더 잘 알려면, 또 자신의 어려움을 극복하려는 욕구를 가지려면 충분히 현명해야 한다.

[논평]

노자는 말하기를, 타인을 잘 알고 그의 마음을 이해하는 것이 정말 중요하지만, 더 중요한 것은 자신을 알고 자신의 성정을 잘 파악하는 것이 중요하다. 왜냐하면, 나중 경우에는 사람들이 자신을 바르게 평가할 줄 아는 능력, 자신의 한계를 잘 알 뿐만 아니라, 자신을 알기 위해 시시때때로 자신을 격려하려는 염원, 끈기와 항상심이 있어야 한다. 더 나아가, 노자는 개인의 자기 수양의 완벽하게 함에 특별히 방점을 찍어 강조하고 있다. 그에 따르면, 사람은 행동에 있어 끊임없이 도의 방식에 따라, 또 자신의 사회생활에서 타인을 대하는 자신의 행동에 있어 자신을 완벽하게 수양해야 한다.

第三十四章 제34장
ĈAPITRO 34

大道泛兮(대도범혜)。
其可左右(기가좌우)。
萬物恃之以生而不辭(만물시지이생이불사)。
功成不名有(공성부명유)。
衣養萬物而不爲主(의양만물이불위주)。
常無欲(상무욕)。
可名於小(가명어소)。
萬物歸焉(만물귀언)。而不爲主(이불위주)。
可名爲大(가명위대)。
以其終不自爲大(이기종부자위대)。
故能成其大(고능성기대)。

커다란 도는 흘러 넘쳐
왼쪽이든 오른쪽이든 어디나 미친다.
만물이 의지하며 성장하지만 주재하지 않고,
공이 이루어지더라도 소유하지 않고,
만물을 입히고 양육하지만 주인 노릇은 하지 않고,
항상 욕심이 없이 작다고 할 수 있다.
만물이 귀의해도 주인 노릇을 하지 않으니
크다고 할 수 있다.
끝내 스스로를 크다고 여기지 않아
따라서 큰일을 이룰 수 있는 것이다.

La granda Taŭo estas kiel rivero inundanta:
Ĝi povas iri dekstren, ĝi povas iri maldekstren.
Ĉiuj estaĵoj ŝuldas al ĝi sian ekziston sen ricevi ian ajn rifuzon de ĝi.
Kiam ĝia laboro estas plenumita, ĝi ne atribuas al si la meriton;
Ĝi nutras ĉiujn estaĵojn, sed ĝi ne pretendas esti ilia mastro;

(Ĉiam sen sia deziro,)[1]
Tial ĝi povas esti nomata la Malgranda.
Ĉiuj estaĵoj revenas al ĝi, sed ĝi ne pretendas esti ilia mastro;
Ĝi povas esti nomata la Granda.
Ĉar ĝi neniam pretendas esti granda,
Ĝi povas atingi sian grandecon.

[1] La krampoj estas aldonitaj por montri, ke tiuj ĉi vortoj eble estis poste enmetitaj de aliaj.

1 괄호( )는 이 낱말들이 아마 나중에 타인이 여기에 써두었으리라 보기 때문에 괄호를 해 두었다.

[해설]
"도(道)" 란 없는 데가 없다. "도" 가 있기에 삼라만상이 존재할 수 있다. 도는 하찮은 것이기도 하고, 겸손한 것이다. 왜냐하면, 이는 만물을 위해 봉사한다; 이는 위대하기도 하고 존경받기도 한다, 왜냐하면, 이 모든 것은 자발적으로 따른다. 최종분석에서 "도" 란 절대적으로 크다. 비록, "무위" 의 성격으로 보아, 그 도는 전혀 자신을 큰 존재인 것처럼 여기지 않는다.)

[논평]
"도(道)" 는 만물에 영양분을 주고서도, 그 도는 그들 주인처럼 전혀 하지 않는다. 그 점으로 보아 사람들은 그 주인성과 공적에 대하여 무한한 비(非) 가식성을 볼 수 있고, 도가 보여주는 만물에 대한 우주 보편의 사랑의 온기를 느낄 수 있다.

第三十五章 제35장
ĈAPITRO 35

執大象(집대상)。
天下往(천하왕)。
往而不害(왕이불해)。
安平太(안평태)。
樂與餌(낙여이)。
過客止(과객지)。
道之出口(도지출구)。
淡乎其無味(담호기무미)。
視之不足見(시지부족견)。
聽之不足聞(청지부족문)。
用之不足既(용지부족기)。

도를 지키고 있으면
천하의 사람들이 귀의한다.
귀의해도
해치지 않으니 편안하고 평화롭다.
음악과 맛있는 음식은
과객들의 발걸음을 멈추게 하지만
도는
담담하여 아무 맛이 없고,
보아도 잘 보이지 않고,
들어도 잘 들리지 않지만,
아무리 사용해도 다 쓸 수가 없다.

Firme tenu vin je la granda bildo[1] (la Taŭo),
Kaj ĉiuj sub la Ĉielo al vi iros
Sen timo pri ĉia damaĝo reciproka
Kaj kun ĝuo de komforto, paco kaj sano.

Muziko kaj frandaĵoj
Povas haltigi pasantojn,
Sed la Taŭo, se eldirite,
Ŝajnas sengusta kaj enuiga;
Rigardate, ĝi estas nevidebla,
Aŭskultate, ĝi estas neaŭdebla,
Uzate, ĝi estas neelĉerpebla.

1 La esprimo "la granda bildo" aludas la senbildan bildon, t.e. la Taŭon. (Kp. Ĉap. 41, en kiu estas dirite: "La plej granda bildo estas senforma".)

1 "큰 그림"이라는 표현은 그림이 없는 그림을 암시한다, 즉, 도를 말한다. (제41장의 이 말과 비교해 보라: **"가장 큰 형상일수록 형태가 없다"**.)

Malsimile al la aliaj formohavaj estaĵoj, ĝi estas nevidebla kaj neaŭdebla, tamen ĝi feliĉigas la homojn en ilia vivo kaj igas ilin ĝui pacon kaj sanon sen ĉia damaĝo reciproka.)

[해설]
만물은 도(道)에 의지하고 있다. 형상을 가진 사물들과는 달리, 이 도는 보이지도 않고, 들리지도 않지만, 도는 사람의 삶에서 그 사람을 행복하게 하고, 어떤 방해물에도 그 사람에게 평화와 건강을 누릴 수 있게 해 준다.

[논평]
나라를 다스림에 있어 공자의 "예절" 이나, 음악이나 군것질과 같은 법률로 다스림은 "무위", 즉 "도(道)" 로써 다스림보다 덜 효과적이다, 이 도는, 비록 보이지 않고, 들리지 않아도, 그래도 사람들을 평안과 평화, 건강을 즐기게 해 준다.

第三十六章 제36장
ĈAPITRO 36

將欲歙之(장욕흡지)。
必固張之(필고장지)。
將欲弱之(장욕약지)。
必固強之(필고강지)。
將欲廢之(장욕폐지)。
必固興之(필고흥지)。
將欲奪之(장욕탈지)。
必固與之(필고여지)。
是謂微明(시위미명)。
柔弱勝剛強(유약승강강)。
魚不可脫於淵(어불가탈어연)。
國之利器不可以示人(국지리기불가이시인)。

상대방을 움츠리게 하려면 반드시 펴게 해주고,
약하게 하려면 반드시 강하게 해주고,
망하게 하려면 반드시 흥하게 해주고,
빼앗고자 하려면 반드시 주어야 한다.
이것은 미묘한 지혜로서
부드럽고 약한 것이 단단하고 강한 것을 이긴다는 말이다.
물고기는 깊은 연못을 떠날 수 없듯이
나라에서 비장의 무기는 남에게 내보여선 안된다.

Se vi volas kuntiri ion,
Vi devas unue etendi ĝin portempe;
Se vi volas malfortigi ion,
Vi devas unue fortigi ĝin portempe;
Se vi volas renversi ion,
Vi devas unue starigi ĝin portempe.

Se vi volas preni al vi ion,
Vi devas unue doni ĝin portempe.
Tio estas nomata subtila sagaco,—
Jen kial la mola kaj malforta venkas la malmolan kaj fortan.
La fiŝo ne povas forlasi la profundan akvon,
Kaj la plej akraj armiloj de la regno
Ne povas esti montrataj al homoj.

[해설]

여기서 노자는 강함과 약함의 관계, 넘어짐과 일어섬 등의 관계를 취급하면서, 하나에서 다른 것으로의 변화를 적시하기 위해 자신의 변증법적 사고를 표현한다. 그는 정치적 술책(정책)에 대한 자신의 사상 또한 표현하고 있다. 그는 이것을 "물렁하고 유약한 것이 단단하고 강한 것을 이긴다" 라는 개념에 귀착시켜, 그가 군대(전쟁)에 사용하기를 추천한 원칙처럼 정치에서도 이 원칙을 사용하기를 추천한다.

[논평]

사람들은 보통 단단함과 강성의 유용성만 보니, 만일 사람들이 물렁하고 유약한 것이 단단하고 강함을 이긴다는 노자의 파라독스적 진실을 모른다면 그 단단하고 강한 것들을 물렁하고 유약한 것보다 더 선호한다, 그러나 이 진실을 잘 파악하고서, 이 적용에 능숙하다면, 사람은 분명 강력해지고, 자신의 모든 강한 적들을 물리칠 수 있다.

"상대방을 움츠리게 하려면 반드시 펴게 해주고, 약하게 하려면 반드시 강하게 해주고, 망하게 하려면 반드시 흥하게 해주고, 빼앗고자 하려면 반드시 주어야 한다." 라는 문장을 읽으면서, 어떤 사람들은 노자를 조종에 능한 술사라고 평가한다. 그가 앞 문장으로 말하고자 하는 바는 단순한 술책이라고 한다. 실제로 여기서 노자는 군사나 정치에서 효과적인 전술(정책)으로는 가장 자연스런, 진실 만한 것이 없다는 것에 초점이 가 있다.

第三十七章 제37장
ĈAPITRO 37

道常無爲(도상무위)。
而無不爲(이무불위)。
侯王若能守之(후왕약능수지)。
萬物將自化(만물장자화)。
化而欲作(화이욕작)。
吾將鎮之以無名之樸(오장진지이무명지박)。
無名之樸(무명지박)。
夫亦將不欲(부역장불욕)。
不欲以靜(불욕이정)。
天下將自定(천하장자정)。

도는 항상 무위(無爲)하면서도
하지 못하는 것이 없다.
제후와 왕이 이를 지킬 수 있다면
만물은 스스로 화육될 것이다.
스스로 화육되면서 탐욕이 생기면
나는 도의 질박함으로 그것을 다스릴 것이다.
도의 질박함에는 탐욕이 없다.
고요함으로 탐욕이 일어나지 않게 하면
천하는 자연스럽게 안정될 것이다.

La Taŭo ĉiam estas en “senagado”,
Kaj tamen ekzistas por ĝi nenio, kio restus nefarita.
Se la reĝoj kaj la princoj alkonformigus sin al ĝi,
Ĉiuj estaĵoj spontanee submetus sin al ili.
Sed se, malgraŭ sia submetiĝo, ili ekhavus dezirojn,
Mi bridus ilin per la sennoma simpleco[1].
Bridate per la sennoma simpleco,

Ili estus liberaj de ĉiaj deziroj.
Liberaj de ĉiaj deziroj, ili kvietiĝus,
Kaj tiam la mondo nature trovus sian stabilan ordon.

[1] La simpleco egalas la Taŭon (Vd. noton 3 de ĉap. 28). Ĉar la Taŭo estas sennoma (Vd. la unuan linion de ĉap. 32), tial ankaŭ la simpleco estas sennoma.

1 질박함이 도(道)에 상당하다(제28장 주3을 보라). 도는 이름이 없기에(제32장의 첫줄 원문을 보라), 그 질박함 또한 이름이 없다.

[해설]
정치적으로 노자는 긍정적 행동에 찬성하지 않는 편이다. 자신을 "무위"의 원칙에 두고서, 즉, 아무것도 하지 않음과 아무것도 하지 않은 채로 아무것도 아님 상태로써, 그는 염원하기를, 다스리는 자들은 아무 야심이 없어야 하고, 아무 기획 같은 것이 없어야 하고, 그때 온전한 사회는 자연히 자신의 안정성과 평화를 보전하게 된다.

[논평]
"도(道)는 언제나 "무위(無爲)"에 놓여 있다. 그럼에도 하지 못하느 것이 없다." 라는 노자의 "무위"의 핵심이다. 노자에 따르면, 어떤 지배자가 자연의 이치(법칙), 즉 도의 법칙을 따르면서 사안들을, 그 사안에 자신의 개입 없이, 불필요한 행동을 하지 않음으로써, 임의적인 억지를 부리지 않음으로써, 자신의 발전의 길에 둔다면, 그 지배자는 자신의 지배에 있어 아주 자연스럽게 성공을 수확할 수 있다. 왜냐하면 "만물이 자신을 그들에게 몸을 굽히게 됨"은 도의 효과이기 때문이다. 노자는 이런 의견도 피력한다, 즉, "무위"의 원칙을 따름으로써, 백성이 자유를 스스로 발전시키고 스스로 완벽해지도록 놔둠으로써 지배자는 자신의 욕망을 질박함, 즉 "도"로써 통제해야만 한다. 그렇게 해서 백성이 안정된 질서를 누리고 조화 속에서 단순하고도 행복한 삶을 누릴 수 있도록 해야 한다.

老子道德經(노자도덕경)
La Libro de Laŭzi
下篇 (하편)

第三十八章 제38장
ĈAPITRO 38

上德不德(상덕부덕)。
是以有德(시이유덕)。
下德不失德(하덕부실덕)。
是以無德(시이무덕)。
上德無爲而無以爲(상덕무위이무이위)。
下德爲之而有以爲(하덕위지이유이위)。
上仁爲之而無以爲(상인위지이무이위)。
上義爲之而有以爲(상의위지이유이위)。
上禮爲之而莫之應(상례위지이막지응)。
則攘臂而扔之(칙양비이잉지)。
故失道而後德(고실도이후덕)。
失德而後仁(실덕이후인)。
失仁而後義(실인이후의)。
失義而後禮(실의이후례)。
夫禮者(부례자)。
忠信之薄(충신지박)。而亂之首(이난지수)。
前識者(전식자)。
道之華(도지화)。而愚之始(이우지시)。
是以大丈夫處其厚不居其薄(시이대장부처기후불거기박)。
處其實不居其華(처기실불거기화)。
故去彼取此(고거피취차)。

덕(德)이 많은 사람은
덕을 의심하지 않아 덕을 지니게 되고,
덕이 적은 사람은
스스로 덕을 잃지 않으려고 애써 덕이 없다.
덕이 많은 사람은
자연에 순응해 무의식적으로 행동하지만,
덕이 적은 사람은

자연에 순응하지만 의식적으로 행동한다.
인(仁)이 많은 사람은
인위적인 행동을 하지만 그 행동이 무의식적으로 나오고,
의(義)가 많은 사람은
인위적인 행동을 하지만 그런 행위도 의식적으로 나온다.
예(禮)가 많은 사람은
행동이 의식적으로 나오는데 만약 그에 상응하는 반응이 없으면,
팔을 잡아끌어 따르게 한다.
따라서 도를 잃으면 덕이 생기고,
덕을 잃으면 인이 나타나고,
인을 잃으면 의가 생기고,
의를 잃으면 예가 생긴다.
무릇 예란 정성과 신뢰의 부족에서 비롯된 것으로
재앙의 시작이다.
선견지명이란 도의 수식에 불과하고
어리석음의 시작이다.
따라서 대장부는 돈후함에 머무르고,
얄팍한 데 거하지 않고,
돈후하고 진실함에 머물고,
부화함에 거하지 않는다.
그래서 부화함을 버리고 돈후하고 진실을 취한다.

La supera virto ne montras sin en formala virto,
Kaj tiel ĝi posedas la virtecon;
La malsupera virto rigide alkroĉiĝas al formala virto,
Kaj tiel ĝi perdas la virtecon.
La supera virto ne agas por sin montri kaj ne bezonas intence tiel agi;
La malsupera virto agas por sin montri kaj bezonas intence tiel agi.
La supera humaneco agas por sin montri kaj ne intence tiel agas;
La supera justeco agas por sin montri kaj intence tiel agas.
La supera deco[1] agas por sin montri,
Kaj kiam ĝi trovas nenian respondon, ĝi nudigas siajn brakojn kaj faras trudon.
Tial, post kiam la Taŭo estas perdita, leviĝas la Virto;

Post kiam la Virto estas perdita, leviĝas la humaneco;
Post kiam la humaneco estas perdita, leviĝas la justeco;
Post kiam la justeco estas perdita, leviĝas la deco.
Tio, kio estas nomata deco,
Estas efektive la manko de lojaleco kaj sincereco kaj la komenco de malordo.
Tio, kio estas nomata antaŭvido,
Estas efektive la ornamo[2] de la Taŭo kaj la origino de malklero.
Jen kial la granda homo sin apogas prefere sur tio, kio estas solida,
Ol sur tio, kio estas malsolida;
Li sin apogas prefere sur tio, kio estas simpla,
Ol sur tio, kio estas ornama.
Jen kial li forĵetas la lastan kaj akceptas la unuan.

[1] Ĉi tie la esprimo "supera deco" legiĝas en la ĉina originalo kiel *li*, kiu signifas ne nur "riton" aŭ "ceremonion", sed ankaŭ "etiketon" aŭ "decregulojn".

[2] La ĉina vorto *hua* signifas proprasence "floron" kaj figurasence "ornamon".

1 여기서 "예가 많음"이라는 표현은 중국어 원어 */li(而)/*처럼 읽혀지고, 이는 "의식" 또는 "예식" 을 의미할 뿐만 아니라 "예의" 또는 "적합한 규율"을 의미한다.

2 중국어 화(華 *hua)*는 원래 "꽃"이지만, 글자 모습에서는 "수식"을 의미한다.

[해설]

이 장은 "무위" 의 원칙, 즉, 아무것도 하지 않음과 아무것도 하지 않은 상태로 두는 것에 대한 설명을 이어간다. 노자에 따르면, 모든 종류의 행동은, 만일 그것이 "무위"의 원칙에 맞으면, 이는 곧 "도(道)" 의 원칙에 맞고 "덕" 에 맞는 것이다. 정반대로, 만일 의도적으로 모든 곳에 그가 덕과 함께 있음을 보이려고 행동한다면, 그 행동은 도에 맞지 않는 것이고, 따라서 그는 덕을 보전하는 것에 실패한다. 노자는, 또한, 사회적 불안정성은 도의 손상에서 나온다고 보았다. 그는 질박함과 아무 장식 없음을 향한 자신의 염원도 칭찬으로써 표현한다.

[논평]
노자 철학의 덕(德 Virto)이라는 개념은, 우주의 기원이자 보편 원칙인 도를 통해 얻는 구체 사물의 특성을 말한다. 덕이란 도의 활동성, 기능성이며, 만물에 모두 찾아볼 수 있다. 이는 사회에서 인간의 모든 행동이나 행위에 대한 범주로서도 기능한다.
이 장에서 노자는 실제 인간의 도덕 수양에 관해서 언급하고 있다. 그에 따르면 인간 행동들은 다음의 범주, -즉, 도, 덕, 인, 의, 예에 맞는 행동으로- 구분할 수 있다. 보통 사람들은 이렇게 분류함을 사회 발전으로 바라보지만, 정반대로, 노자의 눈으로는 이를 사회퇴보 현상으로 본다. 그에 따르면, 만일 사회가 그 구성원의 도덕에 도덕성을 부여하기 위해 의나 예가 필요한 그런 사회로 내려가면, 그때 그 안에는 분명 가식(허위), 속임과 약탈이 충분히 벌어진다; 또 사회에서 정의나 예의가 더는 기능하지 않고 질서를 보전하는데 자신을 강요하거나, 규범이 범죄를 가두어 놓을 수 없을 때, 그 사회는 이미 구원받지 못할 정도로 나쁜 상태로 가 있다고 볼 수 있다.

第三十九章 제39장
ĈAPITRO 39

昔之得一者(석지득일자)。
天得一以清(천득일이청)。
地得一以寧(지득일이녕)。
神得一以靈(신득일이령)。
谷得一以盈(곡득일이영)。
萬物得一以生(만물득일이생)。
侯王得一以爲天下貞(후왕득일이위천하정)。
其致之一也(기치지일야)。
天無以清將恐裂(천무이청장공렬)。
地無以寧將恐發(지무이녕장공발)。
神無以靈將恐歇(신무이령장공헐)。
谷無以盈將恐竭(곡무이영장공갈)。
萬物無以生將恐滅(만물무이생장공멸)。
侯王無以貴高將恐蹶(후왕무이귀고장공궐)。
故貴以賤爲本(고귀이천위본)。
高以下爲基(고이하위기)。
是以侯王自謂孤寡不穀(시이후왕자위고과불곡)。
此非以賤爲本邪(차비이천위본사)。
非乎(비호)。
故致數輿無輿(고치삭여무여)。
不欲琭琭如玉(불욕록록여옥)。珞珞如石(낙낙여석)。

옛날 일(一)을 체득한 사례를 보면
하늘은 일을 얻어 맑아지고,
땅은 일을 얻어 평온해지며,
신(神)은 일을 얻어 영험해지고,
골짜기는 일을 얻어 채워지며,
만물은 일을 얻어 생존할 수 있으며,
제후와 왕은 일을 얻어 천하를 다스릴 수 있었다.

이런 것은 모두 일(一)로부터 비롯된 것이다.
하늘이 일에 의해 맑아지지 않았다면 갈라졌을 것이고,
땅이 일에 의해 평온을 찾지 못했다면 무너져 버렸을 것이다.
신이 일에 의해 영험해지지 않았다면 그 기능이 다했을 것이고,
계곡이 일에 의해 가득 차지 않았더라면 말라버렸을 것이다.
만물이 일에 의해 생존하지 못했더라면 멸망했을 것이고,
제후와 왕이 일에 의해 청정함을 유지하지 못했더라면 전복되었을 것이다.
따라서 존귀함은 비천함을 근본으로 삼고,
높음은 낮음을 기본으로 삼는다.
따라서 왕은 스스로를 고(孤)나 과(寡)나 불곡(不穀) 등으로 부르는데
이런 호칭은 모두 비천한 것을 근본으로 삼은 것이 아니고 무엇이겠는가?
어찌 아닐 수 있는가?
최고의 명예란 자랑할 것이 없는 명예이다.
아름다운 옥처럼 고귀해지려고 하지 말고,
딱딱한 돌처럼 하찮은 것이 되는 것이 좋다.

Jen la atingintoj de la principo de la Unuo[1] ekde la pratempo:
La Ĉielo, atinginte la Unuon, fariĝis klara;
La Tero, atinginte la Unuon, fariĝis firma;
La spiritoj, atinginte la Unuon, fariĝis diaj;
La valoj, atinginte la Unuon, fariĝis plenaj;
Ĉiuj estaĵoj, atinginte la Unuon, grandkvante reproduktiĝis;
La reĝoj kaj la princoj, atinginte la Unuon, fariĝis la estroj direktantaj sian popolon:
Ĉio ĉi tio, al kio ili strebis, estis plenumita per la Unuo.
Se la Ĉielo ne fariĝus klara, ĝi baldaŭ fendiĝus;
Se la Tero ne fariĝus firma, ĝi baldaŭ skuiĝus;
Se la spiritoj ne fariĝus diaj, ili baldaŭ formalaperus;
Se la valoj ne fariĝus plenaj, ili baldaŭ elĉerpiĝus;
Se ĉiuj estaĵoj ne grandkvante reproduktiĝus, ili baldaŭ formortus.
Se la reĝoj kaj la princoj ne konservus siajn majestecon kaj noblecon, ili baldaŭ perdus ĉiu sian regnon.
Tial la nobleco prenas la humilecon kiel sian radikon,

Kaj la alto prenas la malalton kiel sian bazon.
Jen kial la reĝoj kaj la princoj nomas sin per *gu* (orfo), *gua* (soleculo) aŭ *bugu* (senindulo).
Ĉu do tio ne indikas, ke ili rigardas la humilecon kiel la radikon de la nobleco?
Ĉu do ne estas tiel?
Tial serĉi tro da honoro signifas tute perdi la honoron.
Oni do prefere estu humila kiel la roko, ol nobla kiel la jado.

[1] La "Unuo" estas alia nomo de la Taŭo.

1 일(一, La "Unuo") 이라는 것은 도(道, la Taŭo)의 다른 이름이다.

[해설]
이 장은 하늘, 땅, 계곡, 통치자와 기타 만물이 나오는 "도"의 보편성과 중요성을 거론하기 시작한다. 이 장은 만일 도가 없거나 제대로 작동되지 않으면, 만물은, -하늘과 땅에서부터 모든 지배자(통치자; 왕과 왕자)까지도 더는 존재할 수 없음을 강조하고 있다.
이 칭호 - "孤(고)", "寡(과)", "不穀(불곡)" -는 옛 통치자들이 자신을 낮추어 말함으로 자신의 위엄성과 고상함을 유지하려고 하였다. 노자는 사람들이 만 가지 위험에서 자유롭기를 원하면, 맨 앞에도, 맨 나중에도 서지 말라고 했다.

[논평]
이 장의 첫 부분은 도의 기능을 다루는데, 이 도는 만물의 본원이고, 또한 만물의 핵심 요인이기도 하다. 그의 기능들은 절대로 도를 떠나지 않는다; 만일 그것들이 도를 떠난다면, 그것들은 자신의 본원을 잃게 되고, 따라서 쪼개지거나, 흔들리거나, 형태 없이 사라지거나, 쓰임이 다 되었거나 아니면 사멸할 것이다. 우주 만물이 도에 도달하면 그때는 그것들이 위대하고 무한으로 될 것이다.
이 장의 나중 부분은 왕이나 왕자들이 자신의 위치를 염치로, 또 자신의 본분을 낮춤으로써 행할 수 있는 도의 도달을 말한다. 즉, 이는 자신을 고상한 옥(玉)보다는 빛나지 않는 바위처럼 겸손하게 보는 것이다.

第四十章 제40장
ĈAPITRO 40

反者道之動(반자도지동),
弱者道之用(약자도지용)。
天下萬物生於有(천하만물생어유),
有生於無(유생어무)。

순환 반복하는 것이 도의 움직임이고,
유연하고 약한 성향이 도의 작용이다.
천하 만물은 모두 유(有)에서 생겼지만,
유(有)는 바로 무(無)로부터 나온다.

Renirado[1] estas la movo de la Taŭo,
Malforteco estas la funkcio de la Taŭo.
Ĉiuj estaĵoj sub la Ĉielo estas la produktoj de la ekzisto,
Kaj la ekzisto mem estas la produkto de la neekzisto.

[1] En la ĉina lingvo la vorto *fan* estas dusenca: ĝi povas esti komprenata kiel reniro aŭ kiel malo. Ĉi tiuj du sencoj ambaŭ estas implicitaj en la filozofio de Laŭzi, tial la unua frazo de tiu ĉi ĉapitro devas esti komprenata jene: ĉiu estaĵo en la universo ĉiam moviĝas al sia origino en cikloj aŭ al sia malo. (Komparu: ĉap. 25, linio 12)

1 중국어 낱말 "반(反, fan)"은 두 가지 의미가 있다: 이 낱말은 첫째 되돌아감 reniro이요, 둘째 반대를 뜻한다. 이 2가지 의미는 양자가 노자 철학에서는 함의를 가진다. 그래서 이 장의 첫 문장은 다음과 같이 이해되어야 한다: 우주 삼라만상은 언제나 윤회 속에서 제 원래로 돌아가거나, 반대 방향으로 운동한다. (제25장 12줄과 이를 비교하라)

[해설]

이 장에서 노자는 한 가지 중요한 변증법적 원칙을, 즉, "순환 반복은 도의 운동이다"라고 설득하고 있다. 이는 도(道)란 움직이거나, 자신의 반대쪽으로 변화하고, 그 운동은 순환된다. 노자는 도의 기능에서 약함이 강함을 이길 수 있는 것을 강조하기도 한다. 더구나, 노자는 우주의 삼라만상은 "무: 무존재" 의 산물이다 라고 다시 언급하고 간명하게 자신의 사상을 설파하고 있다.

[논평]

이 장의 첫 문장을 읽으면서 사람들은 인간 생활에 대한 사고에 감동하지 않을 수 없다. 어떤 사람들은 인간의 삶은 유쾌하거나 우울한 노래에 비유하기도 하지만, 더 많은 사람은 인생을 어떤 때는 직선으로 매끄럽게 가다가, 어떤 때는 지그재그로 울퉁불퉁하게 나 있는 긴 길처럼 여기기도 한다. 빈번하게 이런 일이 일어나기도 한다, 즉 뭔가 계속 찾으려 하거나, 또는 이를 위해 뭔가를 열심히 애써 인생길에서 길고 어려운 여행을 하고 나서, 사람들은 어느 날 갑자기 자신의 출발점으로 돌아온 것을 발견하는 경우가 자주 있다. 그때 그는 의심 없이 수많은 감정에 휩싸인다: 그 사람은 기뻐하기도 하지만, 안타까워하기도 하고, 괴로운 심정을 토로하기도 한다. 왜냐하면, 그는 얻은 것도 있지만, 잃은 것도 있기 때문이다. 그런 반환점을 돈 뒤(그렇게 돌아온 뒤) 그의 인생길 여행은 빛나거나 다채롭거나, 창백하거나 무색이든 간에, 의심 없이 그 자신에게는 인생의 풍부한 자산이 된다. 그리고 그는, 자신의 매사의 역정을 대단한 가치의 인생 경험이라며 크게 좋아하면서 또한 원래를 자신의 새 출발점을 취해, 자신의 인생 목표를 향해 다시 출발해야 한다.

第四十一章 제41장
ĈAPITRO 41

上士聞道(상사문도)。勤而行之(근이행지)。
中士聞道(중사문도)。若存若亡(약존약망)。
下士聞道(하사문도)。大笑之(대소지)。
不笑不足以爲道(불소부족이위도)。
故建言有之(고건언유지)。
明道若昧(명도약매)。
進道若退(진도약퇴)。
夷道若纇(이도약뢰)。
上德若谷(상덕약곡)。
大白若辱(대백약욕)。
廣德若不足(광덕약부족)。
建德若偷(건덕약투)。
質真若渝(질진약투)。
大方無隅(대방무우)。
大器晩成(대기만성)。
大音希聲(대음희성)。
大象無形(대상무형)。
道隱無名(도은무명)。
夫唯道(부유도)。善貸且成(선대차성)。

훌륭한 선비는 도를 들으면 열심히 행하며,
평범한 선비는 도를 들으면 반신반의하고,
못난 선비는 도를 들으면 크게 비웃는다.
비웃지 않으면 도라고 하기엔 부족할 것이다.
그래서 격언은 전하고 있다.
밝은 도는 마치 어두운 듯하고,
앞으로 나아가는 도는 물러서는 듯하며,
평탄한 도는 굴곡진 듯하고,
훌륭한 덕은 계곡과 같으며,

완전하게 깨끗한 것은 더러운 듯하고,
드넓은 덕은 부족한 듯하고,
강건한 덕은 태만한 듯하고,
질박한 덕은 흐린듯하며,
드넓은 대지는 경계가 없는 듯하며,
가장 큰 그릇일수록 더디게 완성되고,
가장 큰 소리일수록 그 음을 분별할 수 없고,
가장 큰 형상일수록 형태가 없다.
도는 숨어서 이름도 없지만,
유독 도만이 만물이 자라고 완성되도록 도와 줄 수 있다.

Aŭdante pri la Taŭo, la supera klerulo diligente praktikas ĝin.
Aŭdante pri la Taŭo, la meza klerulo duone kredas ĝin.
Aŭdante pri la Taŭo, la malsupera klerulo ridegas pri ĝi.
Se tiu ĉi ne ridegus, ĝi ja ne meritus la nomon de Taŭo!
Tial malnova proverbo diras:
"La Taŭo, kiu estas brila, ŝajnas esti malhela;
La Taŭo, kiu antaŭeniras, ŝajnas retroiri;
La Taŭo, kiu estas ebena, ŝajnas esti malebena;
La supera Virto ŝajnas esti valo humila;
La plej granda honoro ŝajnas esti malhonoro;
La plej granda Virto ŝajnas esti nesufiĉa;
La vigla Virto ŝajnas esti inerta;
La simpla pureco ŝajnas esti ŝanĝiĝema;
La plej granda kvadrato havas nenian angulon[1];
La plej valora vazo ĉiam estas laste finfarita[2];
La plej granda muziko havas apenaŭan sonon[3];
La plej granda bildo estas senforma[4]."
La Taŭo estas kaŝita kaj sennoma,
Sed estas nur la Taŭo, kiu iniciatas ĉiujn estaĵojn kaj kondukas ilin al kompletiĝo.

[1] Per tiu ĉi paradokso Laŭzi aludas la senlimecon de la universo, t.e. de la

Taŭo.

[2] Tiu ĉi frazo nun povas metafore signifi ankaŭ, ke la grandaj talentoj maturiĝas malrapide.

[3] Per tiu ĉi paradokso Laŭzi aludas la neaŭdeblecon de la Taŭo. (Vd. ĉap. 14)

[4] Per tiu ĉi paradokso Laŭzi aludas la nevideblan ĥaosan staton de la Taŭo antaŭ la apero de ĉiuj estaĵoj. (Vd. ĉap. 14)

1 이 파라독스로 노자는 우주의, 즉 도(道)의 무한성을 암시한다.

2 이 문장은 지금 은유적으로 의미하기를, 큰 재능은 천천히 성숙됨을 뜻하기도 하다.

3 이 파라독스 같은 문장으로 노자는 도의 불가청성을 암시한다. (제14장을 보라)

4 이 파라독스 같은 문장으로 노자는 만물의 생성에 앞서서, 도의 혼돈 상태를 암시한다. (제14장을 보라)

[해설]
모순적 관점에서 출발해, 노자는 물러섬, 연약함과 비(非) 경쟁심이 "무위" 속에 있는 도의 원칙에 충분히 맞음을 입증하기 위해 고대 속담을 언급하고 있다.

[논평]
제78장에서 노자는 "긍정의 말이 표면상으로는 부정적으로 보인다."라고 말했다. 바로 그러한 것이 다음 문장들이다: "밝은 도는 마치 어두운 듯하고; 앞으로 나아가는 도는 물러서는 듯하고; 평탄한 도는 굴곡진 듯하다;...". 이 문장들은 도의 내부 성질과 외부 표시 사이의 완전한 정반대를 말하고 있다. 그러한 정반대의 대비를 훌륭한 지식인(선비)만 제대로 이해하기에 계속해서 도를 근면하게 실천한다, 반면에 평범한 지식인(선비)은, 제 지식과 자신의 하찮은 일로 인해 제한성 때문에, 전혀 그 도를 이해하지 못하고 그 도를 대하고는 크게 비웃을 뿐이다.

第四十二章 제42장

ÂAPITRO 42

道生一(도생일)。
一生二(일생이)。
二生三(이생삼)。
三生萬物(삼생만물)。
萬物負陰而抱陽(만물부음이포양)。
沖氣以爲和(충기이위화)。
人之所惡(인지소오)。唯孤寡不穀(유고과불곡),
而王公以爲稱(이왕공이위칭)。
故物或損之而益(고물혹손지이익)。
或益之而損(혹익지이손)。
人之所教(인지소교)。我亦教之(아역교지)。
強梁者不得其死(강량자부득기사)。
吾將以爲教父(오장이위교부)。

도는 일(一)을 낳고 일(一)은 음과 양을 낳고,
음과 양이 서로 교감하여 화기(和氣)를 낳는다.
음양과 화기가 서로 조화를 이루면서 만물이 생성된다.
만물은 음을 지고 양을 안고,
음양이 충돌하여 조화롭게 교감한다.
사람들이 싫어하는 것은 고(孤) 과(寡) 불곡(不穀) 등이지만
임금들은 이런 호칭을 사용한다.
따라서 모든 사물의 이치는 줄이면 때로는 더 증가하고 늘리면 오히려 더 감소한다.
사람들이 가르치는 것을 나 역시 언급해 보면
자기 힘을 과시하기 좋아하는 사람은 제 명에 죽지 못한다.
나는 이 말을 교육의 기초로 삼으려 한다.

La Taŭo naskas la Unuon[1] (ion unuecan),

La Unuo naskas la Duon (du kontraŭajn aspektojn) [2],
La Duo naskas la Trion[3] (alion),
La Trio produktas miriadojn da estaĵoj.
La miriadoj da estaĵoj entenas en si la *jin*-on[2] kaj la *jang*-on[2] kiel du kontraŭajn fortojn,
Kiuj estas unuecigitaj en harmonion per nevidebla spiro[4].
Oni timas esti "orfo", "soleculo" aŭ "senindulo",
Kaj tamen la reĝoj kaj la dukoj volonte nomas sin mem tiaj.
Tial ĉiuj aferoj povas pligrandiĝi, se oni intence ilin reduktas,
Kaj ili povas reduktiĝi, se oni intence ilin pligrandigas.
Tion, kion oni uzas en sia instruado, ankaŭ mi uzas:
"La violentulo certe mortos violentan morton."
Mi faros tiun ĉi fakton la bazo de mia instruado.

[1] T.e. la io intermiksiĝa kaj nedisigeble unueca, kiu estiĝis antaŭ ol la Ĉielo kaj la Tero; ĝi estas la unusola origino de la universo. (Vd. ĉap. 25)

[2] T.e. la *jin*-o kaj la *jang*-o. En la ĉina filozofio la *jin*-o prezentas la duonon de la dueco en la universo. La *jin*-o estas la femala forto, asociita kun la tero, la mallumo, la virina sekso, la negativeco ktp. La *jin*-o estas kompletigita de la *jang*-o, la maskla forto, asociita kun la ĉielo, la suno, la lumo, la vira sekso, la pozitiveco ktp. Ĉi tie per la *jin*-o kaj *jang*-o estas simbolata la fakto, ke ĉiu estaĵo estas miksaĵo el *jin*-o kaj *jang*-o, t.e. el mallumo kaj lumo, malforteco kaj forteco, akvo kaj fajro, malvarmo kaj varmo ktp. En la ĉiutaga vivo la *jin*-o estas priskribita kutime kiel virineca, fleksebla, cedema, flua, kvieta, mola, malforta ktp., dum la *jang*-o kiel vireca, rigida, malcedema, decidema, malkvieta, malmola, forta ktp.

[3] T.e. la io harmonia el la *jin*-o kaj *jang*-o unuecigitaj per nevidebla spiro aŭ, laŭ alia opinio, la Ĉielo, la Tero kaj la Homo. (Vd. ĉap. 25)

[4] Estas tre malfacile trovi Esperantan ekvivalenton por la ĉina filozofia termino *qi*. Ĝi povas signifi "materion", "energion", "spiron" kaj "vitalan forton". En malsamaj kuntekstoj de ĉina filozofio ĝi estas malsame interpretita. Ĉi tie ni tradukas ĝin per "spiro", kvankam ĝi ne estas plene kontentiga.

1 즉. 섞여서 분리될 수 없는, 하나가 된 뭔가는 하늘과 땅보다 먼저

생겼다; 이것이 우주의 독특한 근원이다. (제25장을 보라)

2 즉. 음(陰, la jin-o)과 양(陽,la jang-o). 중국 철학에서 음은 우주의 2 성질 중 하나이다. 음은 땅과 연결된 여성적 힘, 어둠, 여성, 부정적인 것 등을 뜻한다. 음은 양과 합쳐 하나로 완성된다. 양은 하늘과 연결된 남성적 힘, 태양, 빛, 남성, 긍정적인 것 등을 뜻한다. 여기서 음양으로써, 만물이 음양의, 즉, 어둠과 빛, 약함과 강함, 물과 불, 차가움과 뜨거움 등의 혼합물이라는 사실이 상징화된다. 매일의 삶에서 음은 보통 여성적이고, 잘 굽혀지고, 양보심이 있고, 흘러가고, 고요하고, 물렁하고, 연약한 것 등으로 서술된다. 반면에 양은 남성적이고, 단단하고, 양보심 없고, 단호하고, 요란하고, 딱딱하고, 힘센 것 등으로 보통 서술된다.

3 즉. 보이지 않은 호흡(숨)으로 또는 노자 표현에 따르면, 하늘, 땅, 사람이라는 것으로 일체화되는 음과 양의 조화로 만들어진 무엇을 말한다. (제25장을 보라)

4 중국 철학 용어 기(氣,qi)는 에스페란토 용어로는 이에 상당하는 낱말이 없다. 이 말은 "물질(재료)", "에너지", "숨" 그리고 "활력"을 뜻한다. 중국 철학의 다른 내용에서는 이것은 다르게 번역된다. 여기서 우리는 이를 "숨spiro"으로 표현할 수 있다, 비록 그것이 완전히 만족할 낱말은 아니지만.

[해설]

이 장의 앞부분은, 도는 만물의 일반 원천임을 말하고, 뒷부분은, 연약하고 물러서는 자세가 일을 처리함에 가장 중요한 원칙 중 하나, 즉 노자가 도에 맞는 원칙이라는 원칙임을 말하고 있다.

[논평]

이 장은 우리에게 우주에서 도(道)로 인해 만들어지는 만물의 생성 과정과 질서를 보여준다. 우주 삼라만상이 도로 인해 태어난 뒤, 그것들은 자신을 도의 원칙에 따라 지탱해야 하고, 그 원칙에 따라 발전해야 한다, 그리고 그중 가장 중요한 것이 물렁하고 여린 상태에 있음이다. 왜냐하면, 물렁하고 여린 상태로 있는 물체들만 진짜 단단하고 강하기 때문이다.

第四十三章 제43장
ĈAPITRO 43

天下之至柔(천하지지유)。
馳騁天下之至堅(치빙천하지지견)。
無有入無間(무유입무간)。
吾是以知無爲之有益(오시이지무위지유익)。
不言之教(불언지교)。無爲之益(무위지익)。
天下希及之(천하희급지)。

천하에서 제일 부드러운 것이
천하에서 제일 단단한 것을 부리고 있다.
무(無)는 틈이 없는 곳까지 들어갈 수 있어
나는 이로부터 무위(無爲)의 이로움을 알 수 있다.
무언의 가르침과 무위의 이로움은
천하에 견줄 만한 것이 없다.

Tio, kio estas la plej mola sub la Ĉielo[1],
Povas galopi tra tio, kio estas la plej malmola[2];
La nevidebla forto povas trapenetri tion, en kio estas nenia fendeto;
Jen per tio mi ekkonas la avantaĝon de la "senagado".
La senparola instruado kaj la efiko de la "senagado"
Estas senkomparaj sub la Ĉielo.

[1] T.e. la akvo.
[2] Ekz. la roko.

1 즉. 물.
2 예를 들어, 바위.

[해설]

이 장에서 노자는 다시 반복해 강조하기를, 물렁하고 연약한 것이 단단하고 힘센 것을 이기고, 또 자신의 "무위" 의 장점을 설득하고 있다. 그는 제안하기를 그런 장점을 취하려면 사람들은 양보해야 한다.

[논평]

물은 가장 물렁한 존재물이지만, 이는 바위도 뚫고 지나갈 수 있다. 이로써 물렁하며 연약한 것이 단단하며 강한 것을 이길 수 있다는 것이 진실임을 노자는 서술하고 있다. "무위" 와 말 없는 가르침은 근본적으로 가장 물렁하고 가장 연약한 것이지만, 그의 효과성은 하늘 아래 비교할 수 없을 정도로 크다. 이로써 사람들은 노자의 변증법적 사고의 광휘를 볼 수 있다.

第四十四章 제44장
ĈAPITRO 44

名與身孰親(명여신숙친)。
身與貨孰多(신여화숙다)。
得與亡孰病(득여망숙병)。
是故甚愛必大費(시고심애필대비)。
多藏必厚亡(다장필후망)。
知足不辱(지족불욕)。
知止不殆(지지불태)。
可以長久(가이장구)。

명성과 생명 중 어느 것이 더욱 친근한가?
생명과 재산 중 어느 것이 더욱 귀중한가?
얻음과 잃음 중 어느 것이 더욱 해로운가?
따라서 지나치게 명예를 좋아하면
반드시 큰 대가를 치르고,
지나치게 재물을 모으면 반드시 큰 손실을 보게 될 것이다.
만족할 줄 알면 모욕을 당하지 않고,
알맞은 정도에서 멈출 줄 알면 위태롭지 않으니,
오랫동안 편안할 수 있다.

Kiu estas la pli kara, la gloro aŭ la vivo?
Kiu estas la pli valora, la vivo aŭ la riĉaĵo?
Kiu estas la pli malutila, la akiro aŭ la perdo?
Tial la troa avaro devas kaŭzi grandegajn elspezojn;
La tro abunda provizo devas suferi seriozan perdon.
Tiu, kiu estas kontenta, renkontas nenian malhonoron;
Tiu, kiu scias halti en bona momento, renkontas nenian danĝeron;
Kaj tial li povas resti por ĉiam en sekureco.

[해설]

노자는 인생의 가치화를 설파하고, 조심스런 자기 보전을 생각하라고 한다. 중정(中正)을 넘어서지 않기를, 또한 만족한 상태로 있고, 보수적 생각에 머물러 있으라고 한다. 그는 이 사상을 안전 수단으로 보고, 이 방법을 채용하면 사람들은 자신의 모든 위험에서 벗어날 수 있다.

[논평]

사람들은 보통 명예와 부를 생명보다 더 중한 것으로 본다. 그리고 탐욕적으로 그것들을 향해, 위험에 빠짐에도 불구하고, 달려가거나 아니면 생명 위험에 노출될 수도 있다. 노자는 이 점을 가장 큰 안타까움으로 보고서 생명을 대가로 한 모든 얻음에 대하여 우리를 경계하게 한다.

이 장의 문장들 "**따라서 지나치게 명예를 좋아하면 반드시 큰 대가를 치르고, 지나치게 재물을 모으면 반드시 큰 손실을 보게 될 것이다.**" 에는 대단한 가치의 도덕적 진리가 담겨 있기에, 따라서 우리는 이 문장들을 격언처럼 기억하여야 한다.

第四十五章 제45장
ĈAPITRO 45

大成若缺(대성약결)。
其用不弊(기용불폐)。
大盈若沖(대영약충)。
其用不窮(기용불궁)。
大直若屈(대직약굴)。
大巧若拙(대교약졸)。
大辯若訥(대변약눌)。
躁勝寒(조승한)。
靜勝熱(정승열)。
淸靜爲天下正(청정위천하정)。

제일 완벽한 것도 어딘가 모르게 결함이 있는 듯하지만,
그 작용은 영원히 그침이 없다.
제일 충만한 것도 어딘가 모르게 비어 있는 듯하나,
그 작용은 무궁하다.
제일 반듯한 것도 마치 휘어져 있는 것 같고,
제일 정교한 것도 마치 쓸모가 없는 것 같고,
제일 탁월한 언변도 마치 어눌해 보인다.
빠른 움직임은 추위를 이기고,
조용함은 더위를 이긴다.
청정(淸靜)하면 천하가 바르게 이루어질 수 있다.

Tio, kio estas plej perfekta, ŝajnas nekompleta,
Sed ĝia utileco estas nereduktebla.
Tio, kio estas plej plena, ŝajnas malplena,
Sed ĝia utileco estas neelĉerpebla.
Tio, kio estas plej rekta, ŝajnas kurba;
Tiu, kiu estas plej lerta, ŝajnas mallerta;

Tiu, kiu estas plej elokventa, ŝajnas balbutema.
Rapida moviĝo venkas malvarmon,
Kvieta ripozo venkas varmon.
Tiu, kiu restas en klara kvieteco, povas esti la ekzemplodona ĉefo sub la Ĉielo.

[해설]

노자는 생각하기를, 수많은 사물이 있는데, 그것들은 표면상 있는 것과는 달리 보인다. 또 어떤 경우에는 온전히 제 실체와는 정반대 모습을 보인다. 정치적으로 성공하려면, 사람들은 명확한 고요(청정) 속에 남아 있어야 한다. 즉, 이는 "무위"의 원칙을 말함이다.

[논평]

이 장은 실제의 도(道)에 도달한 인간의 완전한 인격을 서술하고 있다. 그 도에 도달한 이는 "표면상 불완전한", "표면상 텅 빈", "표면상 굽어 있는", "서툰", "표면상 말을 더듬거리는" 모습으로 생생하게 자신을 표현할 수 있다. 노자에 따르면, 그의 완전한 인격은 외양으로 드러나는 것이 아니라, 그의 내부에 숨어 있고, 또한 명확한 고요 속에 남아 있는, 즉, "무위" 의 원칙에 자신을 기대는 그 사람만이 하늘 아래 모범이 될 수 있다.

第四十六章 제46장
ĈAPITRO 46

天下有道(천하유도)。
卻走馬以糞(각주마이분)。
天下無道(천하무도)。
戎馬生於郊(융마생어교)。
禍莫大於不知足(화막대어부지족)。
咎莫大於欲得(구막대어욕득)。
故知足之足常足矣(고지족지족상족의)。

천하에 도가 있으면
군마도 돌아가 농사일을 돕고,
천하에 도가 없으면
군마도 전쟁터에서 새끼를 낳는다.
만족하지 못하는 것보다 더 큰 화가 없고,
탐욕보다 더 큰 허물은 없다.
따라서 만족하면서 얻는 만족감은 늘 만족할 수 있다.

Kiam la mondo estas regata laŭ la Taŭo,
La militĉevaloj estas uzataj en terkulturado.
Kiam la mondo estas regata kontraŭ la Taŭo,
Eĉ gravedaj ĉevalinoj estas uzataj sur batalkampoj.
Nenia malfeliĉo estas pli granda ol la malkontenteco;
Nenia kulpo estas pli granda ol la nesatigebla avido.
Tial tiu, kiu estas kontenta pri sia kontenteco,
Ĉiam estas kontentigita.

[해설]
노자는 전쟁에 강하게 반대한다. 전쟁을 불사하는 것보다 이를 피할 수 있음이 더 낫다는 의견을 말하고 있다. 그는 전쟁 원인을 사람의

채워지지 않은 욕심 탓이라고 말한다. 만일 사람이 제 상황에 만족하고서 더는 욕심부리지 않으면, 전쟁은 결코 일어나지 않는다.

[논평]
이 장에서 첫 두 문장은 평화와 전쟁의 결과물을 날카롭게 비교해 두었다. 노자에 따르면 전쟁의 원인은 인간의 불만과 욕심에 있다며, 그러기에 그는 우리를 충족할 수 없는 욕심에서 우리가 벗어나기를 추천한다.

第四十七章 제47장
ĈAPITRO 47

不出戶(불출호)。知天下(지천하)。
不窺牖(불규유)。見天道(견천도)。
其出彌遠(기출미원),
其知彌少(기지미소)。
是以聖人不行而知(시이성인불행이지),
不見而名(불견이명),
不爲而成(불위이성)。

문밖으로 나가지 않아도 천하를 알고,
창밖을 보지 않아도 하늘의 도를 볼 수 있다.
문밖으로 나가서 가면 갈수록
깨우침은 더욱 적어진다.
따라서 성인은 나가지 않아도 알 수 있고,
보지 않아도 깨달을 수 있고,
추구하지 않아도 이룰 수 있다.

Sen eliri el sia domo, oni povas scii ĉion sub la Ĉielo.
Sen rigardi tra la fenestro, oni povas vidi la Taŭon de la Ĉielo[1].
Ju pli malproksimen oni iras[2],
Des malpli multe oni scias.
Tial la Saĝulo scias sen spertado,
Komprenas sen vidado,
Kaj faras plenumadon sen agado.

[1] "La Taŭo de la Ĉielo" aludas la leĝon, kiu regas la movojn de la suno, la luno kaj la steloj.

[2] T.e. for de la Taŭo. Ĉar la Taŭo estas ĝuste en la homa koro, tial estas neeble serĉi ĝin ekster la homa korpo.

1 “하늘의 도La Taŭo de la Ĉielo”는 태양, 달, 별의 움직임을 규율하는 법칙을 암시한다.

2 즉. 도에서 벗어남이다. 왜냐하면, 도는 바로 인간 마음속에 있다. 왜냐하면, 인간의 몸 바깥에서 이를 찾기란 불가능하다.

[해설]

노자는 세상을 앎에 있어 실제 경험 기능의 가치를 부정하고, 내재된 정관(正觀) 자성(自省)의 상태를 추천한다. 즉, 스스로 살펴봄을 추천한다. 그에 따르면, 인간 정신의 바탕에는 마치 분명한 거울 같은 것이 있어, 제10장에 언급한 바와 같이, 그 거울 안에 외부세계가 반영된다. 그 때문에 정관을 통해 사람들은 하늘 아래 모든 것을 알 수 있고 도를 이해할 수 있다.

[논평]

이 장은 도를 이해하는 방법을 주로 언급한다. 노자에 따르면, 우주 삼라만상은 무슨 법칙이나 원칙에 따라 움직이거나 기능하고, 만일 사람들이 그런 법칙이나 원칙을 잘 알면, 사람들은 모든 존재의 핵심을 잘 볼 수 있고, 외부세계의 진실을 잡을 수 있다, 또한 이를 사람들은 실제 경험으로 얻으려는 노력 대신에 영혼의 자아 관조를 통해서만 이룰 수 있다.

第四十八章 제48장
ĈAPITRO 48

爲学日益(위학일익)。
爲道日損(위도일손)。
損之又損(손지우손)。
以至于無爲(이지우무위)。
無爲而無不爲(무위이무불위)。
取天下常以無事(취천하상이무사)。
及其有事(급기유사)。
不足以取天下(부족이취천하)。

학문을 추구하면
지식이 나날이 증가하고,
도를 구하면 욕구가 나날이 줄어든다.
욕구가 줄어들고 줄어들어
결국 무위(無爲)의 경지에 이르게 된다.
무위하면 못하는 것도 없다.
천하를 다스리려면
항상 무사(無事)로서 해야 한다.
만약 유사(有事)하면
천하를 다스리기에 부족하다.

Farante lernadon, oni akiras ion novan en ĉiu tago;
Sekvante la Taŭon, oni perdas ion en ĉiu tago.
Perdo kaj ankoraŭ perdo,
Ĝis oni atingas "senagadon".
Kvankam nenia agado, tamen nenio restas nefarita.
Regante super la mondo, oni devas ĉiam esti en "senagado".
Se oni devigas sin fari ion,
Oni ne taŭgas por la regado super la mondo.

[해설]

이 장은 계속해서 “무위”를 말하고 있다. 그 “무위”에 도달하려면, 사람들은 자신의 욕망을 줄이고 또 줄여, 제 마음이 고요하고 텅 빔의 상태에 가 있어야만 한다. 그때에만 사람들은 자신이 도(道)와 동일시 될 수 있다, 따라서 그에게는 ‘아무것도 행하지 않은 채로 남아 있지 않다.’ 그에 따르면, 이 세상을 다스리는 통치에서도 이 원칙은 적용될 수 있다.

[논평]

노자 철학에서 “배움”은 외부 세상의 객관 사물의 법칙을 탐구하는 것이고, 이 지식은 조금씩 조금씩 쌓이는 한면, “도를 따름”은 세상의 만물의 핵심을 제 스스로의 이성적 사유로써 잡으려고 애씀이요, 또 자신을 정신적으로 도덕적으로 완전하게 만드는 일에 애씀을 의미한다. 노자에 따르면, 사람이 배움에 배움을 더할수록, 더 많은 지식을 얻게 되면 될수록, 그 사람은 더욱 교묘하고 교활해져, 자연의 순박성에서 더욱 멀어지는 반면에, 도를 따르는 사람은 자신의 개인적 욕망(욕구)을 조금씩 줄일 수 있고, 따라서 조금씩 자연의 순박함으로 되돌아온다.

위에서 확인해 주는 대비를 통해 노자는 통치자에게 “배움” 대신에 “도를 따름” 으로, 즉, 수많은 엄격한 명령과 독선적 정치를 하는 것 대신에 간단명료의 원칙으로 세상을 다스리기를 추천한다. 만일 통치자가 그런 방식으로 다스리면, 백성은 당연히 덕에 따라 행동할 것이고, 그때 대단한 질서와 평화는 분명 이 세상에서 이루어질 것이다. 이게 “무위” 의 놀라운 효과이다.

第四十九章 제49장
ĈAPITRO 49

聖人無常心(성인무상심)。
以百姓心爲心(이백성심위심)。
善者吾善之(선자오선지)。
不善者吾亦善之(불선자오역선지)。
得善(득선)。
信者吾信之(신자오신지)。
不信者吾亦信之(불신자오역신지)。
得信(득신)。
聖人在天下(성인재천하)。
歙歙爲天下渾其心(흡흡위천하혼기심)。
百姓皆注其耳目(백성개주기이목)[2]。
聖人皆孩之(성인개해지)。

성인에게는 정해진 마음이 없고,
백성의 마음이 자신의 마음이다.
선한 사람을 나는 선하게 대해주고,
악한 사람도 나는 또한 선하게 대해주면 모두 선하게 된다.
믿음이 있는 사람을 나는 믿고,
믿기 어려운 사람도 나는 또한 믿으면,
모두 믿음을 얻게 된다.
성인이 천하를 다스리려면 자신의 의지를 거두어들이고,
세상을 위해 자신의 마음을 순박하게 해야 한다.
그러면 백성들의 눈과 귀를 그쪽으로 돌리니,
성인은 그들을 순수한 어린아이처럼 대한다.

La Saĝulo ne havas sian propran konstantan volon,

2) *역주: 『新編 諸子集成』(제3책, 중화민국 제67년(1978) 7월 신3판, 世界書局,臺北))에는 이 문구가 없음.

Li rigardas la volon de la popolo kiel la sian.
Mi estas bona kontraŭ tiuj, kiuj estas bonaj;
Mi estas bona ankaŭ kontraŭ tiuj, kiuj ne estas bonaj;
Kaj tiel la boneco estas atingita.
Mi fidas tiujn, kiuj estas fidindaj;
Mi fidas ankaŭ tiujn, kiuj ne estas fidindaj;
Kaj tiel la fido estas atingita.
La Saĝulo, kiu loĝas sub la Ĉielo,
Tenas la tutan popolon sub la Ĉielo en harmonia simpleco,
Dume la tuta popolo sin koncentras nur al siaj propraj okuloj kaj oreloj.[1]
La Saĝulo ĉiam traktas ilin ĉiujn kiel infanetojn simplanimajn.

[1] En iuj eldonoj tiu ĉi linio ne estas trovebla.

1 어떤 책자에는 이 문장이 보이지 않기도 한다.

[해설]

이 장에서 언급하는 현인이란 노자가 이상화한 통치자이다. 노자의 눈에는 그러한 통치자는 자신의 백성을 많이 믿기도 하고, 백성 또한 그를 믿기도 한다. 그의 다스림 하에서는, 그의 백성은 행복한 삶을 누릴 것이다. 그러한 이상을 실현하려면, 가장 중요한 것이, 사람들이 "무위" 의 원칙을 따르게 하고, 순진한 마음을 지니도록 함이다.

[논평]

이 장에서 노자는 스스로 이상적인 통치자를 그려내고 있다. 통치자는 다음의 특징을 가져야 한다:

1. 통치자는 백성의 염원을 자신의 염원으로 받아들여야 한다;

2. 통치자는 (대인의 마음으로) 자신의 모든 백성을, 설사 그중 어떤 이가 선하지 않아도, 선함으로 대하여야 한다;

3. 통치자는, 만일 그들 중 어떤 이가 믿음이 없다 하더라도, 똑같이 신임해야 한다. 한마디로 말해, 통치자는 자신의 백성 모두를 평등하게 또 구별함 없이 대하면서 그들에게 불편부당함을 보여주고, 이로 인해 결국, 백성에게 그의 선의와 믿음을 보이면, 백성 또한 그를 존경하고 기꺼이

따를 것이다.

그럼 어떻게 하면, 노자에 따르면, 통치자는 그런 통치 상태에 도달할 수 있는가? 그의 견해는 이러하다: 즉, 만일 통치자가 자기 바램을 순박하게 하고, 제 행동을 제 나라의 일에서 자기 행동을 통제할 수 있으면, 그때 백성은 분명 그의 모범을 따르고, 그런 식으로 완전한 조화는 온 나라에 생기게 되고 그 나라 백성은 평화롭게 살아갈 수 있다.

第五十章 제50장
ĈAPITRO 50

出生入死(출생입사)。
生之徒十有三(생지도십유삼)。
死之徒十有三(사지도십유삼)。
人之生動之死地亦十有三(인지생동지사지역십유삼)。
夫何故(부하고)。
以其生生之厚(이기생생지후)。
蓋聞善攝生者(개문선섭생자)。
陸行不遇兕虎(륙행불우시호)。
入軍不被甲兵(입군불피갑병)。
兕無所投其角(시무소투기각)。
虎無所措其爪(호무소조기조)。
兵無所容其刃(병무소용기인)。
夫何故(부하고)。
以其無死地(이기무사지)。

사람이 태어나 죽을 때까지 장수하는 사람이
열에 셋이고,
요절하는 사람이 열에 셋이며,
잘 살다가 갑자기 죽는 사람도 열에 셋이다.
왜 그런가? 너무 지나치게 호사스러운 삶을 집착했기 때문이다.
듣건데 섭생을 잘하는 사람은
육지를 걸어갈 때 외뿔소나 호랑이를 만나지 않고,
전쟁터에서도 죽거나 부상을 당하지 않는다고 한다.
외뿔소는 그 뿔을 쓸 수 없고,
호랑이는 그 발톱을 사용할 수 없으며,
적병도 예리한 칼날을 사용할 수 없기 때문이다.
왜 그런가? 죽을 곳으로 들어가지 않기 때문이다.

Naskite, oni devas morti.
Tri dekonoj el la homoj ĝuas longan vivon,
Dum tri dekonoj mortas tro fruan morton.
Tiuj, kiuj devus vivi longe kaj tamen mortas frue,
Ankaŭ estas tri dekonoj.
Kial do?
Ĉar tiuj ĉi lastaj estas tro avidaj je la vivo.
Mi aŭdis, ke tiu, kiu scias bone konservi sian vivon,
Ne renkontas rinocerojn aŭ tigrojn vojaĝante per tera vojo,
Nek estas vundita aŭ mortigita en militaj bataloj.
La rinocero ne povas piki lin per la korno,
La tigro ne povas disŝiri lin per la ungegoj,
La armilo ne povas puŝi sian klingon en lian korpon.
Kial do?
Ĉar la morto trovas nenian lokon por eniri en lian vivon.

[해설]
노자는 피력하기를, 어디서나 위험이 도사리고 있고 인간의 삶은 언제나 그 위험에 위협당하고 있다. 그 때문에 그는 우리에게 갖가지 위험을 피하기 위하려면 모든 일에 조심 또 조심하기를 조언하고 있다. 그에 따르면, 생명을 보전하는 가장 효과적이고 안전한 방법은 "무위"의 원칙을 따르는 것이다.

[논평]
노자는 피력하기를, 사람의 죽음이란 자연 현상 중 하나이며, 스스로 온전히 두렵지 않은 일이지만, 사람의 천성은 그 자신을 두렵게 만들어, 죽음을 평화로이 맞지 못하고, 그 삶에 얽매이도록 하고 있다.
노자는 건강을 유지하는 방식으로 2가지 카테고리를 두고 있다: 자연주의와 비(非)자연주의. 누군가는 너무 영양이 풍부한 음식으로 자신에게 영양분을 공급하면서, 과도하게 자기 건강을 걱정하지만, 결론은 그의 염원과는 정반대이다: 그 사람들은 자신이 늙어 가지만, 그 늙음 속에서 너무 일찍 죽는다. 그 이유는 그들의 생명 보전 방식이 자연주의에 반하기 때문이다. 그들의 건강을 해치는 삶에 대한 그들의 과도한 욕심이 있기 때문이다.
노자가 추천하는 방법은 -건강을 유지하고, 생명 연장을 위해 애쓰는 방법은, 자연주의에 부합하는 것이라고 한다. 그는 사람들에게 명쾌한 고요 속에 남아 있기를, 또한 자신을 "무위"에 두기를 조언한다; 그들은 자신의 건강과 생명이 그들의 탐욕과 허영심에 손상을 입지 않으려면 물질적 즐거움에 두는 자신의 욕망을 절제해야 한다. 노자에 따르면, 그런 절제하는 인간은 코뿔소나 호랑이에 위협으로부터 벗어 날 수 있고, 전쟁터에서 상처를 입거나 죽임을 당하지 않을 수 있으며, 따라서 온전히 자연적으로 생명 연장을 기뻐할 수 있다. 그러면, 이 노자의 조언은 오늘날, 물질적 부유함이 과거 어느 때보다 풍족한 우리 모두에게 생각할 일이 아닌가?

第五十一章 제51장
ĈAPITRO 51

道生之(도생지)。
德畜之(덕축지)。
物形之(물형지)。
勢成之(세성지)。
是以萬物莫不尊道而貴德(시이만물막부존도이귀덕)。
道之尊(도지존)。德之貴(덕지귀)。
夫莫之命而常自然(부막지명이상자연)。
故道生之(고도생지)。
德畜之(덕축지)。
長之育之(장지육지)。
亭之毒之(정지독지)。
養之覆之(양지복지)。
生而不有(생이불유)。
爲而不恃(위이불시)。
長而不宰(장이부재)。
是謂元德(시위원덕)。

도는 만물을 낳고,
덕은 만물을 기른다.
만물이 자신의 모양을 갖추면
스스로의 생명력에 의해 성장한다.
따라서 만물은 도를 존중하지 않고,
덕을 귀하게 여기지 않는 것이 없다.
도가 존중을 받고 덕이 귀한 대접을 받는 이유는
간섭하지 않고 저절로 성장할 수 있도록 놔두기 때문이다.
따라서 도는 만물을 낳고 덕은 만물이 기른다.
기르고 양육하고,
이루고 성숙시키고,
돌보고 보호해 준다.

낳아 주지만 소유하지 않고,
위하지만 자랑하지 않고,
기르지만 구속하지 않는다.
이것을 심오한 덕(玄德)이라 한다.

La Taŭo donas vivon al ĉiuj estaĵoj,
Kaj la Virto ilin nutras;
La materio donas al ili formon laŭ ilia speco,
Kaj la cirkonstancoj ilin perfektigas.
Tial ĉiuj estaĵoj senescepte kultas la Taŭon kaj adoras la Virton.
La kulto al la Taŭo kaj la adoro al la Virto,
Ne truditaj per ordono, estas manifestiĝoj de la Naturo.
Tial la Taŭo donas vivon al ĉiuj estaĵoj,
Kaj la Virto nutras ilin,
Kreskigas ilin kaj disvolvas ilin,
Fruktigas ilin kaj maturigas ilin,
Flegas ilin kaj protektas ilin.
Doni vivon al ili sen ilin posedi,
Meti ilin en movon sen atribui al si la meriton,
Kaj esti ilia suvereno sen ilin regi,
— Ĉio ĉi estas nomata la profunda Virto.

[해설]
이 장은 도(道)가 만물을 주재한다는 사상을 펼쳐내고 있다. 도는 "무위" 로써 만물을 생성해, 그 영양분을 공급한다. 그리고 만물은 그 도(道) 덕분에 성장한다. 그래도, 도는 전혀 스스로 공이 있다고 여기지 않는다. 노자는 이를 이름하여 "심오한 덕(玄德, profunda Virto)이라 한다.

[논평]
만물이 도(道)에 의해 태어나고 덕(德)에 의해 영양분을 받지만, 그럼에도 도와 덕은 한 번도 또한 어떤 방식으로도 그들의 생과 영양, 형태를

가짐이나 완벽해지는 온전한 과정에 개입하지 않는다, 그렇기에 그들 모두는 스스로 도를 존중하고 덕을 칭송한다.
특별히 주목할 만한 것은, 노자는 그 과정을 온전히 자연적 발전으로 보고 있고, 그렇게 자연적이라, 그 안에서 아무 희망이나 억지 목표를 두지 않을 정도이다. 만물은 도와 덕의 "무위" 방식으로 태어나고 발전해 가는 것이다. 하지만 그 도와 덕은 자신이 잘했다고 칭송하지 않으며, 만물의 주재자라는 체도 하지 않고, 그 때문에 그들은 사람들로부터 자발적 존중과 칭송을 받게 된다, 그리고 이런 의미에서 도를 통한 삼라만상의 생산은, 실제, 우주 만물의 제-스-스-로-의 생장과 발전이다.

第五十二章 제52장

ÊAPITRO 52

天下有始(천하유시)。
以爲天下母(이위천하모)。
旣得其母(기득기모)。
以知其子(이지기자)。
旣知其子(기지기자)。
復守其母(복수기모)。
沒身不殆(몰신불태)。
塞其兌(새기태)。閉其門(폐기문)。
終身不勤(종신불근)。
開其兌(개기태)。濟其事(제기사)。
終身不救(종신불구)。
見小曰明(견소왈명)。
守柔曰強(수유왈강)。
用其光(용기광)。
復歸其明(복귀기명)。
無遺身殃(무유신앙)。
是爲習常(시위습상)。

천지 만물은 모두 시작이 있는데,
이를 천지 만물의 어머니라 한다.
이미 어머니를 가졌으니
그 자식들을 알 수 있고
이미 자식들을 알기 때문에 다시 그 어머니를 지킬 수 있어
평생동안 위태롭지 않다.
욕망의 근원을 막고 욕망의 문을 닫아야
평생 피곤하지 않다.
욕망의 근원을 열고 여러 가지 일을 벌이면
평생 구제할 방법이 없다.
작은 것을 볼 수 있는 능력을 밝다 라고 하고,

부드러움을 지키는 것을 강하다고 한다.
도의 빛으로 작은 것을 볼 수 있는 밝음을 비추면
재앙이 자신에게 미치지 않게 되니,
이것이 영원한 도(常道)를 실천하는 것이다.

Ĉiuj estaĵoj en la universo havas sian originon en tio,
Kio povas esti rigardata kiel ilia Patrino[1];
Tiu, kiu konas la Patrinon,
Povas koni ŝiajn infanojn[2];
Kaj tiu, kiu konas la infanojn,
Povas firme alkroĉiĝi al la Patrino
Kaj tiel renkonti nenian danĝeron dum la tuta vivo.
Ŝtopante la aperturojn kaj fermante la pordojn[3],
Oni povas eviti ĉian malsanon dum la tuta vivo.
Malfermante la aperturon kaj sin okupante pri pli da aferoj,
Oni estas nesavebla ĝis sia lasta tago.
Tiu, kiu povas percepti subtilaĵojn, estas sagaca;
Kaj tiu, kiu gardas siajn molecon kaj malfortecon, estas potenca.
Uzu do vian entenatan lumon,
Revenu al via sagaceco,
Kaj vi estos libera de ĉia malfeliĉego —
Jen la praktikado de la eterna Taŭo.

[1] T.e. la Taŭo (Vd. ĉap. 1, 20, 25).

[2] T.e. ĉiuj estaĵoj.

[3] Ĉi tie la "aperturoj" kaj la "pordoj" aludas tiajn sensorganojn, kiel la oreloj, okuloj, nazo kaj buŝo. (Kp. "la pordoj de la Ĉielo" en la ĉapitro 10)

1 즉, 도이다 (제1장, 제20장, 제25장을 보라).

2 즉, 만물이다.

3 여기서 "욕망의 근원aperturoj" 와 "욕망의 문pordoj"은 감각기관 - 귀, 눈, 코와 입. (제10장의 "하늘의 출입문la pordoj de la Ĉielo"과 비교해 보라)

[해설]

이 장은 만물의 근본을 - 어머니(母), 즉, 도(道) - 논하고 있다. 노자에 따르면, 만일 사람이, 도의 원칙에 따르기만 하면, 그 중 아무도 자신의 삶에서 어려움을 만나지 않을 것이다. 그 원칙이란 눈을 감고 귀를 닫은 채로 아무 지식도 찾지 않음, 자신을 아무 기획에 두지 않음, 또 약한 위치를 점하는 것이다. 노자는 물러섬을 방어 수단으로 삼아, 의견을 피력하기를, 사람들이 모든 어려움을, 섬세한 인식을 통해 또 물렁하고 약한 상태를 유지함으로 피해 나갈 수 있다.

[논평]

이 장은 세상을 대하는 인간 인식 과정을 3가지로 설명한다: 첫째, 노자는 말한다. 도란 우주의 삼라만상의 근본(어머니 la Patrino)이고, 도와 만물과의 관계는 근본과 현상과의 관계라고 보았다. 때문에, 세상을 인식하는 인간 인식의 목적은 현상들을 관통하면서 근본을 보는 것과 다르지 않다, 왜냐하면 근본을, 즉, 도를, 만물의 근본을 잡고서야, 사람들은, 다양한 현상을 봄에 틀림을 피할 수 있다.

둘째, 노자는 말한다. 세상을 보는 인간지식은 외물(외양)을 -즉, 물질적 이득과 평안(안락)을- 좇는 것이 아니다. 왜냐하면, 그런 외물(외양)을 좇음은 불가피하게 더 많은 다양한 일들에 자신을 집중해야 하고, 정신적 혼돈과 자신의 잃음을 초래하게 된다.

세째, 노자는 조언한다. 섬세함을 인지하려고 애쓰면서 또 자신의 물렁함과 약함을 보전하기를 애쓰면서, 사람들은, 제 안에 지닌 빛을 제 고유의 현명함에 도달하는 일에 쓰도록 하고, 그런 방식을 통해서만 삶의 모든 고초를 피할 수 있다.

인간의 물질적 욕구가 거의 통제되지 못하고, 사람들 대다수가 온갖 술수를 통해 이득과 명성을 얻고 물질적 향락에 빠지려고 경쟁하는 오늘날 세상에서, 이 장의 노자 조언은, 사람들이 제 안의 빛을 다시 보고 사용할 줄 알고, 자신의 현명함으로 돌아오는데, 꼭 필요한 항목이다.

第五十三章 제53장
ĈAPITRO 53

使我介然有知(사아개연유지)。
行於大道(행어대도)。
唯施是畏(유시시외)。
大道其夷(대도기이)。
而民好徑(이민호경)。
朝甚除(조심제)。
田甚蕪(전심무)。
倉甚虛(창심허)。
服文綵(복문채)。
帶利劍(대리검)。
厭飮食(염음식)。
財貨有餘(재화유여)。
是謂盜夸(시위도과)。
非道也哉(비도야재)。

나에게 약간의 지혜가 있다면
대도(大道)를 따르며
유독 사도(邪道)로 빠질까 두려워한다.
대도는 매우 평탄하지만
사람들은 비좁은 길을 가기 좋아한다.
조정은 부패하고,
농토는 황폐하며,
곳간은 비었는데,
비단옷에 예리한 칼을 차고 위엄을 뽐내며,
배 부르게 술과 음식을 먹고도,
재화가 남아돌아 간다면,
이것은 대도(大盜)와 다름없으며 얼마나 무도(無道)한 짓인가!

Se mi ekhavos iom da prudento,
Mi iros laŭ la granda Vojo[1],
Kaj tiam mi timos nenion alian krom preni la oblikvan vojon.
La granda Vojo estas tre ebena,
Sed oni preferas la pli mallongan vojeton[2].
La palaco estas tre hela kaj luksa,
Dum la kampoj estas nekulturataj kaj herbaĉokovritaj,
Kaj la grenejoj estas malplenaj kaj vakaj.
Tiuj, kiuj sin vestas per elegantaj koloraj vestoj,
Portas grandvalorajn akrajn glavojn,
Supersatigas sin per delikataj nutraĵoj kaj trinkaĵoj,
Kaj posedas abundon da riĉaĵoj,
Ja povas esti nomataj ĉefoj de rabistoj.
Ho, kiel kontraŭa al la Taŭo tio estas!

[1] La granda Vojo metafore aludas la Taŭon.

[2] La mallonga vojeto metafore aludas ĉian doktrinon nekonforman al la Taŭo.

1 대도(大道, La granda Vojo)는 은유적으로 도(Taŭo)를 말한다.

2 사도(邪道, La mallonga vojeto)은 은유적으로 도에 어긋난 모든 신조를 말한다.

[해설]

이 장에서 노장은 통치 권력을 지닌 당시 인물들을 풍자하고 있다.
그는 그들을 백성을 착취한다고 공격하고, 그들을 도적의 두목이라
이름을 짓고는, 그들 행동을 도의 원칙에 어긋난다고 비난했다.

[논평]

이 장에서 노자는 도에 어긋나게 행동하는 잔혹한 통치자들을 가차 없이 꾸짖는다. 그는 우리에게 도에 맞음과 도를 벗어남의 대비 2가지를 보여주고 있다.

첫 비교는 이러하다: 도를 아는 이는 대도만 따를 뿐이고, 그이가 신중하지 못해 비탈길을 취할 것만 걱정한다, 반면에 도를 모르는 이는 그이 앞에

펼쳐져 있는 크고 평탄한 길이 있음에도 지름길을 따르기를 선택한다. 이 비교를 통해 우리는, 도에서 벗어난 인간 천성은 더 짧은 지름길, 비탈길을 취하는 경향이 있음을 볼 수 있다. 그렇기에 인간 천성은 도를 알아야만 개선될 수 있다고 보았다.

다른 비교는 이러하다: 평범한 백성은 빈곤 속에 사는데, 도적의 우두머리라고 이름 지은 그 통치자들이 잔인하게 그 빈곤한 백성을 착취하면서, 통치자들 자신은 호화롭게 사는 것에 노자는 분개한다. 이 둘째 비교를 통해 노자는 우리에게 설명하기를, 이 사회에는 부유한 사람도 있고, 가난한 사람도 있을 수 있다. 하지만, 부유한 사람은 가난한 사람들에게 동정심을 베풀어야 한다. 부유하지만 나쁜 마음의 사람들은 절대로 도에 다가갈 수 없다고 말하고 있다.

第五十四章 제54장

ĈAPITRO 54

善建者不拔(선건자불발)。
善抱者不脫(선포자불탈)。
子孫以祭祀不輟(자손이제사불철)。
修之於身(수지어신)。其德乃真(기덕내진)。
修之於家(수지어가)。其德乃餘(기덕내여)。
修之於鄉(수지어향)。其德乃長(기덕내장)。
修之於國(수지어국)。其德乃豐(기덕내풍)。
修之於天下(수지어천하)。其德乃普(기덕내보)。
故以身觀身(고이신관신)。
以家觀家(이가관가)。
以鄉觀鄉(이향관향)。
以國觀國(이국관국)。
以天下觀天下(이천하관천하)。
吾何以知天下然哉(오하이지천하연재)。
以此(이차)。

덕을 잘 세우면 동요하지 않고,
덕을 잘 지키면 낙오되지 않아,
자손들이 제사를 그치지 않고 모실 수 있다.
스스로 덕을 닦으면 그 덕은 진실해지고,
집안에서 가족에게 덕을 베풀면 그 덕은 여유로워지고,
마을 사람에게 덕을 베풀면 그 덕은 오래가며,
안의 백성들에게 덕을 베풀면 그 덕은 풍성해지고,
천하의 사람들에게 덕을 베풀면,
그 덕은 두루 퍼지게 된다.
따라서 나로 남을 바라보고,
나의 집으로 남의 집을 바라보고,
내 마을로 남의 마을을 바라보고,
내 나라로 다른 나라를 바라보고,

나의 세상으로 다른 세상을 바라본다.
나는 어찌하여 천하의 상황들을 알 수 있는가?
바로 이런 방법에 의한 것이다.

Tiu, kiu estas lerta en starigo, ne ŝanceliĝas;
Tiu, kiu estas lerta en tenado, perdas nenion.
Kaj tiele li povos ĝui la oferadon de siaj posteuloj seninterrompe de generacio al generacio.
Aplikante la principon al si mem, li havos sian Virton vera;
Aplikante ĝin al sia familio, li havos sian Virton pli ol sufiĉa;
Aplikante ĝin al sia najbararo, li havos sian Virton honorata;
Aplikante ĝin al la regno, li havos sian Virton tre abunda;
Aplikante ĝin al la tuta mondo, li havos sian Virton universala.
Tial ni devas juĝi personon laŭ lia Virto,
Juĝi familion laŭ la Virto al ĝi aplikata,
Juĝi najbararon laŭ la Virto al ĝi aplikata,
Juĝi regnon laŭ la Virto al ĝi aplikata,
Juĝi la mondon laŭ la Virto al ĝi aplikata.
Kiel do mi konas la staton de la homa mondo?
Per la metodo supredirita.

[해설]
이 장은 도(道)의 원칙의 응용을 널리 보급하는 장점에 대해 말하고 있다, 노자에 따르면 도를 지니려고 애쓰는 이는 이웃에도, 이 나라에도, 이 세상에도 이 원칙을 적용해야 한다고 말한다.

[논평]
노자에 따르면, 도에 확신을 가진 자만이 도를 잘 알 수 있고 덕을 지닐 수 있다. 도를 알아감과 덕을 지녀 감은 인간의 도덕 특성의 문화 위에 놓인다. 그리고 그것은 한 사람 개인에서 그의 가정으로, 그의 이웃으로, 그의 나라로, 심지어 온 세상으로 발전되는 과정이다, 다만, 모두가 도에 대한 확고한 확신을 가지는 조건에서, "덕이 마침내 보편적이 될" 때까지. 만일 이 사회의 모두가 도덕적으로 자신을 완성되기를 애쓴다면, 그때 모든 사람은

다른 사람을 대할 때도 잘 행동할 것이고, 통치자들은 자기 영토를 잘 다스릴 것이고 따라서 온 세상은 평화와 번영을 누릴 것이다. 이것이 노자가 꿈꾸는 인간 세상의 이상적 모습이다.

第五十五章 제55장
ĈAPITRO 55

含德之厚比於赤子(함덕지후비어적자)。
蜂蠆虺蛇不螫(봉채훼사불석)
毒蟲不螫(독충불석)。
猛獸不據(맹수불거)。
攫鳥不搏(확조불박)。
骨弱筋柔而握固(골약근유이악고)。
未知牝牡之合而全作(미지빈모지합이전작)。
精之至也(정지지야)。
終日號而不嗄(종일호이불사)。
和之至也(화지지야)。
知和曰常(지화왈상)。
知常曰明(지상왈명)。
益生曰祥(익생왈상)。
心使氣曰強(심사기왈강)。
物壯則老(물장즉노)。
謂之不道(위지부도)。
不道早已(부도조이)。

덕이 두터운 사람은 갓 태어난 아이와 같다.
독이 있는 벌레도 쏘지 못하고,
사나운 짐승도 할퀴지 못하며,
사나운 새도 채가지 않는다.
뼈도 약하고 근육도 부드럽지만,
주먹은 단단히 꽉 쥐고 있다.
남녀의 교합은 모르지만
고추가 단단한 것은 정기가 충족하기 때문이고,
종일 울어도 목이 쉬지 않는 것은
화기(和氣)가 지극하기 때문이다.
만물이 조화롭게 공존하는 것이 영원한 진리이고,

영원한 진리를 아는 것이 밝은 지혜이다.
욕심을 버리고 생을 탐하면 화근이 된다.
욕심이 화기를 제어하는 것을 강하다고 부른다.
모든 것은 강해지면 곧 늙게 마련인데,
이런 노력은 도에 부합하지 못하고,
도에 부합하지 못하면 일찍 생명을 다한다.

La profundeco de la entenata Virto
Devas esti komparata kun la infaneto novnaskita,
Kiun la venenaj insektoj ne pikas,
Kiun la sovaĝaj bestoj ne atakas,
Kiun la rabobirdoj ne ungovundas;
Kies ostoj estas malfortikaj kaj kies tendenoj estas molaj, sed kies manetoj havas fortan kunpremon;
Kiu scias ankoraŭ nenion pri la koito de masklo kaj femalo, sed kies seksa membro povas spontanee erektiĝi,
Ĉar en li la vitala forto estas je sia kulmino;
Kiu plorkrias tuttage sen raŭkiĝo,
Ĉar en li la harmonio[1] estas en sia perfekteco.
La konado de tia harmonio estas nomata "la eterneco",
La konado de "la eterneco" estas nomata "iluminiĝo";
La deziro je la vivoĝuo estas nomata katastrofo,
Kaj la submeto de la vitala forto al la deziro estas nomata parado per sia forto.
La estaĵoj, atinginte la plejfortecon, devas kreski maljunaj,
Kio estas kontraŭ la Taŭo.
Kaj ĉio, kio estas kontraŭ la Taŭo, senescepte iras al sia baldaŭa pereo.

[1] T.e. la harmonio de, aŭ la natura ekvilibro inter, la diversaj vivfaktoroj en la korpo.

1 즉, 신체에서의 다양한 생명 요소들 사이의 조화 또는 천연적 균형이다.

[해설]

이 장에서 노자는 심오한 덕을 가진 사람과 순박한 영혼의 갓난아이를 비교하고 있다. 갓 태어난 아이는 생명력으로 충만해 있고 자신의 몸에서는 완벽한 조화를 이루고 있다, 그 때문에 노자는 조언하기를, 도를 가지려는 이는, 갓 태어난 아이의 상태로 돌아간 상태를 취해야 한다고 한다. 노자에 따르면, 이는 도의 범주에 맞는 것이고, 그 도란 힘없고, 물렁하고 순박한 영혼을 지니고 있으니, 사람들은 재앙을 피할 수 있다. 그렇지 않으면 그는 곧 도의 원칙에 맞지 않아 파멸하게 될 것이다.

[논평]

이 장에서는 노자는 심오한 덕을 지닌 사람을 갓난아이와 비교하고 있다. 노자에 따르면, 갓 태어난 아이의 상태란 어떠한가? 이는 요약한다면, 충분한 활력을 가진 심적 순수함과 신체적 유연성이다. 노자는 그런 상태의 사람은 정상이며 안정적이나, 그 상태가 손상을 입으면, 그 사람은 점차, 자신이 성숙하고 강력해짐에 따라, 나중엔 자신의 원래 성질을 잃기 시작하고 종국에 한 걸음 한 걸음씩 파멸에 다가간다고 말한다.

그러면 사람은 대부분 나이를 먹고, 제 생활경험의 풍부함으로, 점점 자신의 원래 아이와 같은 순박함을 잃게 되고, 점점 교활하고, 교묘하고, 가식적이 되고, 속이는 일까지 하게 됨은 우리의 진지하고 깊은 사고에서 불필요한 것인가? 물질적 욕망에 밀려 그들은 자신에게 삶의 즐거움을 더욱 선호하고, 사치 생활을 하고, 아등바등하며 허상을 뒤쫓는다. 그들 중 일부는 도덕성을 잃어 타락하고 자신의 원래 자아를 잃게 된다. 그들은 서로를 향해 냉담해지고, 진지한 우정은 간혹 보이게 되고, 오늘날에는 특히, 온전히 이기심이 인간관계의 유일한 지도 원리가 되어 버렸다. 그러한 인간 사회에 살면서, 그럼, 우리는 우리 가슴에 손을 얹고 묻지 않을 수 없다: 정말 우리가 염원했던 삶이 그런 것인가? 정말 그것이 우리가 염원했던 행복인가? 대답은 만일 우리가 이 위대한 현인인 노자의 저술을 읽어 본다면, 그 대답은 찾을 수 있다.

第五十六章 제56장
ĈAPITRO 56

知者不言(지자불언)。
言者不知(언자부지)。
塞其兌(새기태)。
閉其門(폐기문)。
挫其銳(좌기예)。
解其紛(해기분)。
和其光(화기광)。
同其塵(동기진)。
是謂元同(시위원동)。
故不可得而親(고불가득이친)。
不可得而疏(불가득이소)。
不可得而利(불가득이리)。
不可得而害(불가득이해)。
不可得而貴(불가득이귀)。
不可得而賤(불가득이천)。
故爲天下貴(고위천하귀)。

지혜로운 사람은 말하지 않고,
말하는 사람은 지혜롭지 못하다.
욕망의 근원을 막고 욕망의 문을 잠그고,
누그러뜨리고 분규를 해결하고,
빛과 조화를 이루고,
먼지 속 속세와 한 몸이 되는
이것이 현묘한 대동(玄同)의 경지이다.
따라서 도의 경지에 이른 사람은
백성들이 친소, 이해, 귀천 등의 차별을 느끼지 않게 하여
모든 사람의 존경을 받을 것이다.

Tiu, kiu scias, ne parolas,
Kaj tiu, kiu parolas, ne scias.
Ŝtopi la aperturojn,
Malfermi la pordojn[1],
Malakrigi sian akrecon,
Malkonfuzi sian konfuzon,
Malbriligi sian brilecon,
Miksiĝi kun la polvo[2], —
Ĉio ĉi tio povas esti nomata "la perfekta harmonio"[3].
Tial la persono (kiu atingis la perfektan harmonion)
Ne povas esti intime traktata,
Nek povas esti fremdigita;
Nek povas esti profitigita,
Nek povas esti malprofitigita;
Nek povas esti nobligita,
Nek povas esti humiligita.
Jen kial li estas estimata de la popolo sub la Ĉielo.

[1] Vd. noton 3 de ĉap. 52.
[2] Vd. noton 2 de ĉap. 4.
[3] "La perfekta harmonio" ĉi tie signifas la Taŭon.

1 제52장 주3을 보라.
2 제4장 주2를 보라.
3 "현묘한 대동(玄同, la perfekta harmonio)"은 여기서 도를 뜻한다.

[해설]
이 장은 도를 가지는 자기 수양법과 그 자기 수양의 결과에 대한 설명이다. 이 장의 앞부분은 **"욕망의 근원을 막고.... 먼지 속 속세와 한 몸이 되는"**까지가 그 방법론을 취하고, 나머지 부분은, **"따라서 도의 경지에 이른 사람은... 존경을 받을 것이다"** 까지는 그 결과를 말한다. 그 결과는 "현묘한 대동(玄同, la perfekta harmonio)의 경지", 즉, 도(道, la Taŭo)와 "완벽한 조화" 를 가진 사람이라고 이름 지을 수 있는 그 사람과의 합일이다. 이것이야말로 온 백성의 가장 높은 존경을 받을 만

하다.

[논평]

노자에 따르면, "현묘한 대동의 경지la perfekta harmonio" 란 가장 높은 단계이다. 그때 사람은 도(道)와 하나가 된다. 그럼, 사람들은 어떻게 그런 상태에 도달할 수 있는가? 그를 위해서 노자는 4가지 방법을 제시한다: 날카로움(예리함)을 무디게 하는 것, 혼돈을 적게 함, 빛나는 것을 빛나지 않게 하는 것과 먼지와 섞이는 것이다.

왜냐하면, 자신에게서 날카로움을 없애면, 사람들은 자신을 이익과 명성을 향한 경쟁에서 자유로울 수 있다; 혼돈에서 자신을 없애면, 사람들은 무용함에서 자신을 해방시킬 수 있다; 밝음(빛남)에서 자신이 벗어나면, 자신의 고상함과 영예 욕망으로부터 자유로워질 수 있다; 또 먼지와 섞여 있으면, 사람들은 자신의 소속감에서 자유로울 수 있다. 만일 사람들이 그 안에서 경쟁하지 않으면, 그때 혼돈하지도 않고, 자신에게 무용함도 생기지 않는다; 만일 사람이 자신을 고상하다거나 비천하다거나 하지 않으면, 그때 사람 사이에 아무 차별이 없다. 그것이 바로 "현묘한 대동의 경지"에 도달하는 것이다.

第五十七章 제57장
ĈAPITRO 57

以正治國(이정치국)。
以奇用兵(이기용병)。
以無事取天下(이무사취천하)。
吾何以知其然哉(오하이지기연재)。
以此(이차)。
天下多忌諱(천하다기휘)。
而民彌貧(이민미빈)。
民多利器(민다리기)。
國家滋昏(국가자혼)。人多伎巧(인다기교)。
奇物滋起(기물자기)。
法令滋彰(법령자창)。
盜賊多有(도적다유)。
故聖人云(고성인운)。
我無爲而民自化(아무위이민자화)。
我好靜而民自正(아호정이민자정)。
我無事而民自富(아무사이민자부)。
我無欲而民自樸(아무욕이민자박)。

올바른 방법으로 나라를 다스리고,
기발한 전략으로 군대를 이끌며,
무사(無事)로 천하를 다스린다.
나는 어떻게 이런 사실을 아는가?
바로 다음과 같은 이유이다.
천하에 금기 사항이 많을수록 백성들은 더욱 곤궁해 지고,
권모술수가 많을수록 나라는 더욱 혼미해지고,
기교가 많을수록 사악한 일은 더욱 생겨나고,
법령이 엄할수록 도적이 더욱 늘어난다.
따라서 성인은 다음과 같이 말한다.
내가 무위(無爲)하면 백성은 스스로 순화되고,

내가 고요함을 좋아하면 백성은 스스로 안정되며,
내가 간섭하지 않으면 백성은 스스로 부유해지고,
내가 욕심을 부리지 않으면 백성은 스스로 순박해진다.

La regno devas esti regata en normala maniero,
La milito devas esti kondukata per eksterkutima taktiko,
Kaj ĉio sub la Ĉielo devas esti direktata per "senagado".
Kiel do mi povas scii, ke estas tiele?
Per la jeno:
Sub la Ĉielo, ju pli da malpermesoj estas faritaj,
Des pli malriĉa la popolo fariĝas;
Ju pli da armiloj la popolo havas,
Des pli granda malordo regas en la regno.
Ju pli inĝeniaj kaj lertaj estas la homoj,
Des pli da strangaĵoj estas inventitaj.
Ju pli multaj estas la leĝoj kaj la dekretoj,
Des pli da rabistoj kaj ŝtelistoj troviĝas.
Tial la Saĝulo[1] diris:
"Mi faras nenion, kaj la popolo spontanee submetiĝas;
Mi amas kvietecon, kaj la popolo spontanee sin korektas;
Mi ne agas, kaj la popolo nature riĉiĝas;
Mi havas neniajn dezirojn, kaj la popolo nature restas en primitiva simpleco."

[1] Vd. noton 1 de ĉap. 2.

1 제2장의 주1을 보라.

[해설]
여기서 노자는 자신의 "무위(無爲, senagado)"를 정치사상으로 설파한다. 그에 따르면, 통치란, 전쟁으로 이끔과는 달리, 정상적인 방법으로, 즉 "무위" 로 이뤄져야 한다고 하면서, 그는 "아무것도 하지 않기fari nenion", "고요를 즐기기ami kvietecon", "행동하지 않기ne agi"와 "아무 욕망을 갖지 않기havi neniajn dezirojn"를 통해,

백성이 자발적으로 자신을 낮추어, 자연히 자신을 고치고, 자연히 자신이 풍부해지고, 자연히 원시의 순박한 상태에 있기를 제안한다.

[논평]

노자는 통치자가 "무위" 의 원칙으로 제 나라를 다스리기를 추천한다. 그에 따르면 통치자는 그런 다스림을 위해 "아무것도 하지 말기", "고요 속에 있기", "행동하지 않기", "아무 욕망을 가지지 않기"와 같은 자세가 필요하다. 그렇게 하면 결국, 백성이 스스로 "자발적으로 그 통치에 수긍할 것이고", "자발적으로 자신을 고치고", "자연히 부유해지고", "자연히 원래 순박함에 남아 있을" 것이다. 물론, 이것은 노자의 유토피아일 뿐이다. 그는 그런 실현 불가능성에도 불구하고 통치자들에게 뭔가 강조하고자 한다: 예를 들어. 너무 많은 억지를 하지 말기, 너무 심한 엄격한 명령을 내리지 말기, 임의적으로 행동하지 말기, 백성의 자발성과 자립심을 제한하지 말기 등.

第五十八章 제58장
ĈAPITRO 58

其政悶悶(기정민민)。
其民淳淳(기민순순)。
其政察察(기정찰찰)。
其民缺缺(기민결결)。
禍兮福之所倚(화혜복지소의)。
福兮禍之所伏(복혜화지소복)。
孰知其極(숙지기극)。
其無正(기무정)。
正復爲奇(정복위기)。
善復爲妖(선복위요)。
人之迷(인지미)。其日固久(기일고구)。
是以聖人方而不割(시이성인방이불할)。
廉而不劌(염이불귀)。
直而不肆(직이불사)。
光而不耀(광이불요)。

정치가 느슨하면 백성은 순박해지고,
정치가 가혹하면 백성은 교활해진다.
화(禍)속에 복이 깃들어 있고,
복(福)속에 화가 숨어 있다.
누가 그 비밀을 알 수 있겠는가?
그 속에 일정한 규칙이 없다.
정상적인 것이 순간 이상한 것이 되고,
선한 것이 갑자기 사악한 것이 되기도 한다.
사람들이 이런 미혹에 빠진 지 이미 오랜 세월이 흘렀다.
따라서 성인은
방정하면서도 진부하지 않고,
예리하지만 남에게 상처를 주지 않으며,
직설적이면서도 방자하지 않고,

밝으면서도 눈이 부시게 하지 않는다.

Kiam la regno estas regata kun toleremo,
La popolo estas honesta kaj lojala.
Kiam la regno estas regata kun rigoreco,
La popolo estas ruza kaj malica.
Ho malfeliĉo! La feliĉo sin apogas sur ĝi;
Ho feliĉo! La malfeliĉo sin kaŝas en ĝi.
Kiu do povus antaŭvidi la lastajn rezultojn?
Ja ekzistas nenia mastro de la universo.
La normala povas ajnatempe fariĝi nenormala,
La bona povas ajnatempe fariĝi malbona.
La konfuziteco de la popolo daŭras jam tre longe.
Tial, la Saĝulo[1] estas kvazaŭ kvadrata sen anguloj[2]
Kaj havas kvazaŭ eĝojn, kiuj tranĉvundus neniun.
Li estas rektanima, sed tute ne agresa,
Li donas lumon, sed ĝi ne estas blindiga.

[1] Vd. noton 1 de ĉap. 2.

[2] Ĉi tie per "kvadrata sen anguloj", kiuj povus vundi homojn, Laŭzi metafore aludas, ke la Saĝulo ne estas rigida en sia konduto. (Kp. "La plej granda kvadrato havas nenian angulon" en ĉap. 41)

1 제2장의 주1을 보라.

2 여기서 사람들을 베게 할 수도 있을 "각이 없는 정사각형"을, 노자는 현인은 자기 행동에 있어 딱딱하지 않음을 은유적으로 암시한다. (제41장에 **"드넓은 대지는 경계가 없는 듯하며"** 라는 문장과 비교해 보라.)

[해설]

이 장에는 노자의 변증법적 관점이 보인다. 그에 따르면, 정치적 통치가 엄중해지면 질수록, 백성의 반발이 더욱 커진다. 다스림이 관용적이면 관용적일수록, 그 반발은 줄어든다. 모든 일은 인간의 주관적 원망과는 반대로 벌어진다: 행복이 어떤 때는 불행을 가져오고, 불행이 행복을 가져다주기도 한다; 좋은 사람이 나쁜 사람이 되기도 하고 나쁜 일이 좋은 일이 되기도 한다; 그렇기에 노자는 사람은 세상만사의 결과물을 예견해 볼 수 없고, 그러니, 제 자신의 운명도 지배할 수 없다고 말한다.

그럼 그런 자신의 알 수 없는 운명에 우리는 어떻게 대면해야 하는가? 노자는 제안하기를, 사람은 과도한 뭔가를 하지 말아야 하고 모든 일에서 좋은 순간에 멈출 줄을 알아야, 그 일이 반대 방향으로 가는 것을 피할 수 있다고 피력한다. 사람이 그 대립들의 변화를 지배할 수 없다고 노자는 믿는다.

[논평]

노자 자신이 다음과 같은 말을 할 때, 우리는 노자를 이름하여, 정말 위대한 철학자라고 말할 수 있다: **"화(禍) 속에 복이 깃들어 있고, 복(福) 속에 화가 숨어 있다"**. 중국철학사에서 노자가 바로 2가지 대립되는 일의 상호 의존성과 상호 전환성에 대한 법칙을 말한 맨 처음의 사람이다. 또 이를 통해 그는 우리에게 가르치기를, 그런 매사에 대한 우리 지식은 그 사안의 피상에만 멈출 것이 아니라, 그 일의 핵심과 고유 법칙을 붙잡으려면, 그들 내부를 관통해야 하고, 그런 방식으로만 우리는 그 매사에 대한 우리 지식이 가진 피상성, 경직성과 고립성에서 우리 자신이 벗어날 수 있다.

第五十九章 제59장
ĈAPITRO 59

治人事天莫若嗇(치인사천막약색)。
夫唯嗇(부유색)。
是謂早服(시위조복)。
早服謂之重積德(조복위지중적덕)。
重積德則無不克(중적덕즉무불극)。
無不克則莫知其極(무불극즉막지기극)。
莫知其極可以有國(막지기극가이유국)。
有國之母(유국지모)。可以長久(가이장구)。
是謂深根固柢(시위심근고저)。
長生久視之道(장생구시지도)。

사람을 다스리고 심신을 수양함에는
검소함 만한 것이 없다.
무릇 검소해야 하니
이를 일찍 준비해야 한다.
일찍 준비해야 한다는 것은 덕을 쌓아야 한다는 말이다.
덕을 부단히 쌓다 보면,
극복하지 못할 것이 없다.
극복하지 못할 것이 없다면,
그 능력은 무궁무진해지고
능력이 무궁무진해지면,
나라를 다스릴 수 있다.
나라를 다스릴 수 있는 능력이 있으면,
오랫동안 나라를 다스릴 수 있다.
이것은 뿌리가 깊고 단단히 하여
오랫동안 살아남는 도(道)로 생명 연장과 일치한다.

Por la regado de la homoj kaj la servado al la Ĉielo[1],

Ekzistas nenio pli bona, ol la principo de "avareco".
Nur tenante sin je la principo de "avareco",
Oni povas esti senhasta kaj pretigi sin frue.
Esti senhasta kaj pretigi sin frue signifas akumuli la Virton.
Dank' al la akumulo de la Virto, oni povas triumfe venki ĉiajn obstaklojn.
La potenco, kiu povas venki ĉiajn obstaklojn, estas senmezura.
Kun la senmezura potenco oni povas regi regnon.
Havante la fundamenton de regado, oni povas daŭrigi la suverenecon tre longe.
Tio estas nomata "la profunda kaj firma plantado de la radikoj", —
Jen la maniero ĝui longan vivon kaj atingi eternan ekzistadon.

[1] Kvankam la ĉina vorto *shi-tian* estas laŭvorte tradukita kiel "la servado al la Ĉielo", tamen ĝi povas signifi ankaŭ "la gardadon de tio, per kio oni estas dotita de la Ĉielo", nome "la kulturadon de siaj korpo kaj morala karaktero".

1 중국어 사천(事天, shi-tian)은 문자대로 해석하면 "하늘에의 봉사la servado al la Ĉielo"이지만, 이는 또한 이와 같은 의미도 있다: "하늘이 내려준 그대로를 제대로 보전함", 이름하여, "자신의 몸과 도덕성을 함양함"이다.

[해설]
여기서 노자는 "검소함(嗇)"을 백성의 통치 원칙과 하늘에 대한 봉사에 있어 원칙으로 삼아야 한다고 말한다. 일반적으로 말해서, 이는 힘을 보전함을 말하고, 하지 말아야 할 것을 하지 않음을 말한다. 노자는 피력하기를, 이 원칙은 장수를 유지함에도, 또한 나라를 다스림에도 마찬가지로 지켜져야 한다.

[논평]
이 장의 주요 사상은 "검소함"의 원칙이다. 노자가 통치자에게 제안하는 이 원칙은 두 가지 뜻을 가진다: 첫째, 사물들을 가장 조심스럽게 사용하고 아껴서 보전하기; 둘째는, 도덕적 힘이나 덕을 쌓기. 백성을 잘 다스리고 하늘을 숭상하려면, 통치자는 "검소함"의 원칙에 따라야 한다, 이름하여: 백성의 인력과 물자를 아까워하고 검소함이 한편이요, 자신의 욕망을 과도한 즐거움에 두지 않도록 함이 다른 한편이다. 노자에 의하면, 만일

통치자가 자신을 이 원칙에 두고 실천한다면, 그 통치자는 모든 어려움을 영광스럽게 이겨나갈 수 있을 뿐만 아니라, 자신의 통치 또한 지속할 수 있다. 이 관계에서 사람들은 정말 말할 수 있다, "검소함"의 원칙이야말로 노자의 도와 "무위" 의 원칙을 실현하는 것이다.

第六十章 제60장

ÂAPITRO 60

治大國若烹小鮮(치대국야팽소선)。
以道莅天下(이도리천하)。
其鬼不神(기귀불신)。
非其鬼不神(비기귀불신)。
其神不傷人(기신불상인)。
非其神不傷人(비기신불상인)。
聖人亦不傷人(성인역불상인)。
夫兩不相傷(부양불상상)。
故德交歸焉(고덕교귀언)。

큰 나라를 다스리는 것은
마치 작은 생선을 굽듯이 해야 한다.
도로서 천하에 통하면 귀(鬼)도 어떤 작용을 할 수 없고
귀(鬼)뿐만 아니라 신(神)도 사람을 상하게 할 수 없고
신(神)뿐만 아니라 도를 터득한 성인도 마찬가지이다.
귀신도 성인도 모두 사람을 상하게 못하게 되어
따라서 그 덕이 모두 백성들에게 돌아간다.

La regado de granda regno estas kiel fritado de fiŝeto (nepre kun zorgemo).
Se la mondo estas regata laŭ la Taŭo,
La fantomoj ne povas fari hanton.
Tio estas ne tial, ke ili ne povas hanti,
Sed tial, ke ilia hantado ne povas esti malutila al la homoj;
Tio estas ne tial, ke ilia hantado ne povas esti malutila al la homoj,
Sed tial, ke la Saĝulo[1] neniam faras malutilon al la homoj.
Ĉar la homoj kaj la fantomoj ne faras malutilon unuj al la aliaj,
Tial ili ambaŭ laŭdas la Virton de la Saĝulo.

1 Vd. noton 1 de ĉap. 2.

1 제2장 주1을 보라.

[해설]
노자는 말한다, 나라는 "무위senagado"를 통해 다스려야 한다. 이 "무위"의 원칙을 따르면, 그 통치자는 사회질서를 어지럽히는 불용한 힘(귀신)이 작동하지 못하도록 할 수 있다. 만일 통치자가 행동을 하면, 그는 그 나쁜 힘이 나라에 손해가 되는 경우를 만들 기회를 주게 된다. 노자에 따르면, "무위"의 원칙을 지킴에 있어 능숙한 현인이라면 상호 대립되는 의견을 가진 당파를 조정할 수 있고, 따라서 그는 자신의 덕으로 인해, 긍정의 의견을 낸 당이나, 즉, 사람들이나, 부정의 의견을 낸 당, 즉, 귀신으로부터도 칭송받을 것이다.

[논평]
"큰 나라를 다스리는 것은 마치 작은 생선을 굽듯이 해야 한다" 라는 말은 널리 회자되는 노자의 명언 중 하나이다. 이는 나라의 다스림은 "무위"의 원칙으로, 즉. 도에 맞도록, 이뤄져야 함을 그림처럼 잘 보여주고 있다. 아주 섬세한 물고기로 튀김 요리를 하면서 너무 자주 뒤집는 방식으로, 그렇게 그 통치자가 너무 억지 명령과 엄한 법률로 그 국민에게 괴롭히면 안 된다. 만일 그 다스림이 "무위"의 원칙으로 이뤄진다면, 그때 그 백성은 통치자로부터 아무 강요 없이도, 또한 귀신으로부터도 아무 강요 없이도, 안정을 누리고 평화롭고 행복한 삶을 누릴 것이다. 왜냐하면, 그때 그들은, 통치자이거나 귀신이거나, 모두가 도에 지배에 놓을 것이다.

第六十一章 제61장
ĈAPITRO 61

大國者下流(대국자하류)。
天下之交(천하지교)。
天下之牝(천하지빈)。
牝常以靜勝牡(빈상이정승모)。
以靜爲下(이정위하)。
故大國以下小國(고대국이하소국)。則取小國(즉취소국)。
小國以下大國(소국이하대국)。則取大國(즉취대국)。
故或下以取(고혹하이취)。
或下而取(혹하이취)。
大國不過欲兼畜人(대국불과욕겸축인)。
小國不過欲入事人(소국불과욕입사인)。
夫兩者各得其所欲(부양자각득기소욕)。
大者宜爲下(대자의위하)。

큰 나라는 강과 바다처럼 하류에 위치해
천하가 모두 귀의하도록 해야 한다.
천하의 여성이란
항상 고요함으로 남성을 이기는 존재인데,
고요히 아래에 머물 수 있기 때문이다.
따라서 큰 나라가 작은 나라에 대해서 겸손하면,
작은 나라를 얻고
작은 나라가 큰 나라에 대해서 겸하하면,
큰 나라의 아량을 받는다.
그래서 겸하하여 작은 나라의 신임을 받거나 혹은 큰 나라의 아량을 받을 수 있다.
큰 나라는 작은 나라를 함께 보호하고,
작은 나라는 큰 나라를 수용하고 인정하는 것에 지나지 않는다.
무릇 큰 나라와 작은 나라 양쪽 모두 원하는 것을 이루려면,
큰 나라가 마땅히 겸손한 태도를 취해야 한다.

La granda regno devas esti kvazaŭ ĉe la malsupra baseno de rivero, al kiu fluas ĉiuj riveretoj;
Ĝi devas esti tia loko, al kiu konverĝas ĉio sub la Ĉielo,
Kaj rigardi sin kiel la femalon sub la Ĉielo.
La femalo ĉiam venkas la masklon per kvieteco,
Ĉar ĝi estas kvietema kaj kuŝas pli malalte.
Jen kial granda regno, metante sin sub malgrandajn regnojn, igas la malgrandajn apogi sin sur ĝi.
Malgrandaj regnoj, metante sin sub grandan regnon, akiras ties fidon.
Tial iafoje granda regno igas malgrandajn apogi sin sur ĝi per humiliĝo,
Kaj iafoje malgrandaj regnoj akiras la fidon de granda nur per humiliĝo.
Tio, kion la granda regno deziras, estas nur gvidi la malgrandajn,
Kaj tio, kion la malgrandaj regnoj deziras, estas nur servi la grandan.
Do ĉiu el la du partioj ricevas tion, kion ĝi deziras,
Sed la granda regno devas lerni antaŭ ĉio sin humiligi.

[해설]
이 장에서 노자는 나라와 나라 사이의 관계에 대한 의견을 말한다. 그에 따르면, 나라와 나라 사이에 평화를 유지하려면, 모든 크고 작은 나라들은, 특히 대국이 다른 나라에 대해 겸양으로 대해야 한다.

[논평]
나라와 나라 사이의 관계에서, 그 나라가 크든 작든, 모두는 서로를 향해 겸양을 발휘해야 한다, 마치 사람들이 자신을 다른 사람과 만남에서 상호 신뢰를 얻기 위해 자신이 정중한 겸양 애를 발휘하며 행동하는 것처럼, 또 그 방식으로 모두는 다른 나라(사람)를 동등한 위치에 있는 존재로 여기고, 그리하여 자신이 원하는 바를 거의 예외 없이 이룰 수 있다. 이 모든 것은 정말 노자 사상의 실용적 응용이다, 즉, 저 큰 강의 하류 저수지로 모든 샛강의 물이 모여들게 됨과 같고, 또 고요해지려 하고, 여성이 자신을 낮춤으로 남성을 언제나 이긴다.

第六十二章 제62장

ĈAPITRO 62

道者(도자), 萬物之奧(만물지오)。
善人之寶(선인지보)。
不善人之所保(불선인지소보)。
美言可以市(미언가이시)。
尊行可以加人(존행가이가인)。
人之不善(인지불선)。何棄之有(하기지유)。
故立天子(고립천자)。置三公(치삼공)。
雖有拱璧(수유공벽)。以先駟馬(이선사마)。
不如坐進此道(불여좌진차도)。
古之所以貴此道者何(고지소이귀차도자하)。
不曰以求得(불왈이구득)。
有罪以免邪(유죄이면사)。
故爲天下貴(고위천하귀)。

도는 만물의 주재자이자,
선한 사람의 보물이지만,
선하지 않은 사람도 간직하고 있다.
아름다운 말은
사람들의 존경을 받고,
좋은 행동은 남들에게 영향을 미친다.
선하지 못한 사람이라고 어찌 도를 버릴 수 있을까?
따라서 천자를 세우고 삼공(三公)을 임명하여 공벽(拱璧)과 사마(駟馬)의 예를 행하는 것 보다 차라리 꿇어 앉아 이 도를 닦는 것만 못하다.
예부터 도를 중시한 까닭은 무엇인가?
도를 따르면 죄가 있어도 용서받기 때문이라 하지 않았나?
그러므로 도는 천하의 귀중한 것이 되었다.

La Taŭo, kiel la profunda kaŝejo de ĉiuj estaĵoj,

Estas la trezoro de bonuloj,
Kaj ĝi devas esti konservata ankaŭ de malbonuloj.
Per belaj paroloj oni povas akiri respekton de aliaj,
Kaj per bonaj agoj oni povas doni al aliaj sekvindan ekzemplon.
Kiel do la Taŭo povus esti forĵetita de homoj, eĉ en iliaj malbonaj agoj?
Tial, kiam la Filo de la Ĉielo[1] surtroniĝas aŭ la tri ĉefaj ministroj instaliĝas,
Pli bone estus prezenti senceremonie la Taŭon kiel donacon,
Ol donace sendi jadodiskon[2], sekvatan per jungitaro el kvar ĉevaloj[3].
Kial do la Taŭo estas tiel alte ŝatata ekde la antikveco?
Ĉu ne povas esti dirite, ke per ĝi oni povas akiri tion, kion oni serĉas,
Kaj esti pardonita pri siaj pekoj?
Jen kial ĝi estas alte ŝatata de ĉiuj sub la Ĉielo.

[1] En la antikveco la reĝo aŭ la imperiestro estis titolata "la Filo de la Ĉielo".

[2] Jadodisko estis uzata kiel tre valora donaco en la antikveco.

[3] Kaleŝo kun jungitaro el kvar ĉevaloj estis uzata nur de la reĝo aŭ ministro en la antikveco.

1 고대에는 왕이나 제왕은 "천자(天子, 하늘의 아들)"로 불렸다.
2 공벽(拱璧)은 고대에서 아주 귀한 선물로 여겨졌다.
3 말 4마리가 끄는 마차는 고대에는 왕이나 장관만 이용할 수 있었다.

[해설]
이 장에서 노자는 다시 선한 사람이나 악한 사람, 누구에게도 부족함이 없는 자신의 도의 장점과 유용함을 설파하고 있다. 만일 도가 선물처럼 사용되면, 이는 아주 귀한 물건인데, 옥(玉)이나 4마리 말이 끄는 마구(馬具)보다도 훨씬 귀하다. 왜냐하면, 도가 있기에 사람들은 자신이 추구하는 바를 얻을 수 있고, 자신이 저지른 죄를 용서받을 수 있고, 또 다른 모든 자신의 목적에 도달할 수 있다.

[논평]
노자의 도는 가장 귀한 보석처럼, 선한 이도 이를 찾고 있고, 악한 이도

이를 찾는다. 선한 이는 도를 소유하고 싶은데, 그는 이 도를 많이 좋아하고 자신이 이 도를 통해 완전한 인격을 갖추기를 원하기 때문이다; 반면에 악한 이도 이를 보전하려고 애쓰는데, 왜냐하면, 그 도가 그들에게 선을 가져다줄 수 있기 때문이다. 비록 그 악인들이 그 도의 경건한 믿음을 가지고 있지 않아도. 이는 도(道)란 자신의 빛으로 온 세상에 넘치는 태양처럼, 만인에게 보편적으로 필요하기 때문이다. 똑같이 마찬가지로, 그들이 그 대단한 가치성을 알고 있든 모르고 있든, 이를 소유하면, 착한 이는 자신들이 추구하는 것을 얻을 수 있고, 악인은 이를 통해 자신이 지은 죄를 용서받을 수 있기 때문이다.

第六十三章 제63장
ĈAPITRO 63

爲無爲(위무위)。
事無事(사무사)。
味無味(미무미)。
大小多少(대소다소)。
報怨以德(보원이덕)。
圖難於其易(도난어기이)。
爲大於其細(위대어기세)。
天下難事(천하난사)。
必作於易(필작어이)。
天下大事(천하대사)。
必作於細(필작어세)。
是以聖人終不爲大(시이성인종불위대)。
故能成其大(고능성기대)。
夫輕諾必寡信(부경낙필과신)。
多易必多難(다이필다난)。
是以聖人猶難之(시이성인유난지)。
故終無難矣(고종무난의)。

무위(無爲)로 하고
무사(無事)로 일하며
무미(無味)로서 맛본다.
큰일은 작은 일부터, 많은 일은 적은 일부터 원한은 덕으로 갚는다.
어려운 일은 쉬운 일부터 하고,
큰일은 세세한 일부터 한다.
천하의 어려운 일은 반드시 쉬운 일부터 시작하고,
천하의 큰일은 반드시 세세한 일부터 시작하기 때문이다.
따라서 성인은 결코 큰일을 추구하지 않기에
큰일을 이룰 수 있는 것이다.
무릇 가볍게 승낙하면 믿음이 부족한 듯하고,

많을 것이라고 쉽게 보면 반드시 어려운 일이 많게 된다.
그리하여 성인은 일을 신중하게 여겨 끝내 어려운 일이 없는 것이다.

Rigardu “senagadon” kiel agon,
Senaferecon kiel aferon,
Sengustecon kiel guston.
Kiel ajn malamikaj kontraŭ mi aliaj estas,
Mi ĉiam repagas al ili per “Virto”.
Preparu vin kontraŭ io malfacila dum ĝi estas facila,
Ekplenumu grandan taskon dum ĝi estas malgranda.
Ĉiuj malfacilaĵoj sub la Ĉielo
Devas fariĝi el la stato, en kiu ili estas facilaj;
Ĉiuj grandaj taskoj sub la Ĉielo
Devas fariĝi el la stato, en kiu ili estas malgrandaj.
Tial la Saĝulo[1] neniam faras grandajn aferojn,
Kaj ĝuste pro tio Li povas plenumi grandajn aferojn.
Tiu, kiu facilanime promesas, ne meritas fidon;
Tiu, kiu trovas ĉion facila, renkontas malfacilaĵojn.
Jen kial la Saĝulo, kvankam tre saĝa, donas grandan atenton al la malfacilaĵoj,
Kaj pro tio Li povas eviti ĉiajn malfacilaĵojn.

[1] Vd. noton 1 de ĉap. 2.

1 제2장 주1을 보라.

[해설]
이 장의 앞 절반은 무위와 악의에 선의로 보답하는 모순적 사상을 설명하고 있다. 나머지 절반은 쉬움과 어려움의 상호전환, 큼과 작음의 상호전환을 다루고 있다. 노자는 제안하기를, 사람들은 사안을 긍정적 측면도 보아야 하지만, 부정적 측면도 마찬가지로 봐야 한다고 한다. 만일 사람들이 일을 대하면서 쉬운 면만 보고서, 어려운 면을 전혀 보지 않으면, 사람들은 피할 수 없이 어려움을 만난다. 만일 그 사람이 어려운 일을, 진지하게 대한다면, 이

어려움을 피할 수 있다.

[논평]
노자는 다른 사람들을 대할 때 3가지 원칙을 제안하고 있다: " '무위' 를 행동으로 바라보라, 일 없음을 일인 것처럼 바라보라, 맛없음을 맛있다고 바라보라". 이것이 의미하는 바는, 한 마디로, 사람들은 매사를 "무위" 의 원칙으로 처리해야 하고, 그 일을 아무 인간 개입 없이 진전되는 자연의 길을 따라야만 한다.
이 장의 나머지 절반의 거의 모든 문장은 우리에게 격언처럼 제공해 가르쳐 준다:
첫째, 모든 일은 크고 작음, 쉬움과 어려움, 많음과 적음, 간단함과 복잡함 등의 양 끝단을 가지고 있다. 그 때문에 한 면만 보고, 다른 면을 보지 않음을 경계해야 한다.
둘째, 매사 예외 없이 자신의 고유 법칙을 따르고, 단순함에서 복잡함으로, 작음에서 큼으로, 또는, 적음에서 큼으로 등으로 발전한다. 그렇기에 우리는 가능한 한 매사 발전 법칙을 붙잡아, 무슨 일이든 일을 수행하면서 이들을 엄격히 따라야만 한다.
셋째, 사람들은 어려움에 크게 주목해야 한다. 왜냐하면, 사안을 진지한 고려 속에서 그 일을 취해야만 어려움을 극복할 수 있다; 또한 만일 일을 가치 없이 평가하고, 진지하지 않게 처리하면, 더 큰 일을 당하게 되어, 그 일을 어찌해야 할지 모른 채 혼돈에 빠지게 되는 일이 사람에겐 자주 일어날 수 있다,

第六十四章 제64장
ĈAPITRO 64

其安易持(기안이지)。
其未兆易謀(기미조이모)。
其脆易泮(기취이반)。
其微易散(기미이산)。
爲之於未有(위지어미유)。
治之於未亂(치지어미란)。
合抱之木(합포지목)。生於毫末(생어호말)。
九層之台(구층지태)。起於累土(기어루토)。
千里之行(천리지행)。始於足下(시어족하)。
爲者敗之(위자패지)。執者失之(집자실지)。
是以聖人無爲故無敗(시이성인무위고무패)。
無執故無失(무집고무실)。
民之從事(민지종사)。常於幾成而敗之(상어기성이패지)。
愼終如始(신종여시)。則無敗事(즉무패사)。
是以聖人欲不欲(시이성인욕불욕)。
不貴難得之貨(불귀난득지화)。
學不學(학불학)。復衆人之所過(복중인지소과)。
以輔萬物之自然(이보만물지자연)。而不敢爲(이불감위)。

안정되어 있을 때는 유지하기 쉽고,
일의 조짐이 나타나기 전에는 도모하기 쉽다.
미약할 때는 깨어지기 쉽고,
미세할 때는 흩어지기 쉽다.
조짐이 생기기 전에 처리하고,
일이 일어나기 전에 다스려야 한다.
아름드리 큰 나무도 어린 새싹으로부터 생겨나고,
9층 누대도 한 줌의 흙을 쌓아 만들어졌고,
천 리 길도 한 걸음부터 시작된다.
일을 하려는 사람은 실패하고,

잡으려고 하는 사람은 잃는다.
따라서 성인은 억지로 하지 않으니 실패하지 않고,
억지로 잡으려 하지 않으니 잃을 것이 없다.
백성이 일을 할 때는
항상 거의 다 해놓고 실패를 한다.
처음부터 끝까지 일에 신중하면 실패가 없을 것이다.
따라서 성인의 욕망은 아무런 욕망을 갖고 있지 않고,
얻기 어려운 것도 귀하게 여기지 않는다.
성인의 배움은 아무런 배움을 갖고 있지 않아,
여러 사람의 잘못을 바로잡는다.
성인은 만물이 스스로 그러하게끔 도울 뿐 감히 억지로 하지 않는다.

La stabileco de aferoj estas facile tenebla tiam, kiam ili estas stabilaj;
Tio, kio montras ankoraŭ nenian signon de ŝanĝiĝo, estas facile priplanebla;
Tio, kio estas fragila, estas facile rompebla;
Tio, kio estas tre malgranda, estas facile dispecetigebla.
Traktu la aferojn, antaŭ ol ili estiĝus;
Kaj ordigu la aferojn, antaŭ ol ili konfuziĝus.
Grandega arbo, kiun oni apenaŭ povas ĉirkaŭi per la du brakoj, kreskas el malgranda arbido.
Alta teraso, kiu havas naŭ etaĝojn, leviĝas el malgranda teramaso.
Vojaĝo de mil lioj komenciĝas per la unua paŝo.
Tiu, kiu faras agojn, fuŝas aferojn;
Kaj tiu, kiu tenas objektojn, ilin rapide perdas.
Tial la Saĝulo[1] fuŝas nenion, ĉar Li estas en “senagado”;
Li perdas nenion, ĉar Li tenas nenion.
Oni ofte malsukcesas tiam, kiam sukceso estas jam proksima.
Se oni estas tiel atentema en la fino kiel en la komenco, oni ne ruinigas sian aferon.
Tial la deziro de la Saĝulo estas havi nenian deziron,
Kaj Li ne valorigas rarajn varojn.
La lernado de la Saĝulo estas lerni nenion, por ripari la homajn oftajn kulpojn.
Tiamaniere Li helpas la naturan disvolviĝon de ĉiuj estaĵoj kaj sin detenas de

agoj.

[1] Vd. noton 1 de ĉap. 2.

1 제2장의 주1을 보라.

[해설]
이 장은 일의 변화와 발전에 대한 노자 사상을 표현한다. 노자는 의견을 말하기를, 큰일은 작은 것에서 출발해 발전한 것이고, 또한, 무슨 일이든 생기기 전에는, 이미 뭔가 과정이 있다. 뭔가 자신의 반대 상태로 변하는 것을 피하려면, 사람이 방해되기 이전의 수단을 찾아 잡아야 하는 것이 필요하다. 사람은, 뭔가가 생기거나 커지기에 앞서, 뭔가 나쁜 일을 없애야 한다.

[논평]
이 장에서 노자는 3가지 주요 사상을 펼치고 있다:
첫째, 노자는 의견을 말하기를, 모든 일은 그 일이 아직 더 큰 상태에 있거나, 더 강하거나 아니면 더 많아지기 이전인 그때 쉽게 처리될 수 있으니, 그렇기에, 매사를 그 일에 변화가 일어나기 전에, 또 가능한 한 나쁜 일이나 위험을 막기 위해서 사전에 그 방법을 찾아내, 매사를 처리하는 편을 선호해야 한다, 이는 서양 속담에 말하기를, "악의는 그런 생각이 달걀 상태에서 부화 되기 전에 없애는 것". 그것은 정말 사안의 자연적 발전 법칙에 맞는 것이다.
둘째, 매사가 작은 일에서 큰일로, 쉬운 일에서 어려움으로 변화하기에, 사람들은 매사를 그 시작 단계에서부터, 즉, 작음(적음) 또는 쉬움의 단계에서 처리해야 하고, 신중한 양심, 성실, 지속성, 끈기, 고집, 항상성과 인내로 자신의 노력을 더 해야 한다, 또한 그렇게 해야만, 사람들은 단단한 발전을 꾀할 수 있고, 그 처리하는 일이나 완성하려는 일의 결말을 좋게 할 수 있다.
셋째, 노자는 다시 한번 주목하여, 그 처리하는 일이 결말에 가까이 가면 갈수록, 그 일은 어려워지고, 그때, 아주 가능성 있을지도 모를 실패를 피하려면, 사람들은 극도로 신중해야 하며, 여전히 자신의 노력을 게을리하면 안 된다. 그렇지 않으면, 사람은 그 성공이 이미 가까워지는 일이 파멸로 이르면, 그때 사람들은 실패를 당하는 고통을 자주 당하게 된다.
이 장에서 "천 리 길도 한 걸음부터"라는 말은 모든 중국 사람들이 아주 좋아하며, 자주 언급하는 노자의 명언 중 하나이다.

第六十五章 제65장
ĈAPITRO 65

古之善爲道者(고지선위도자)。
非以明民(비이명민)。
將以愚之(장이우지)。
民之難治(민지난치)。
以其智多(이기지다)。
故以智治國(고이지치국)。國之賊(국지적)。
不以智治國(불이지치국)。國之福(국지복)。
知此兩者亦稽式(지차양자역계식)。
常知稽式(상지계식)。是謂元德(시위원덕)。
元德深矣遠矣(원덕심의원의)。
與物反矣(여물반의)。
然後乃至大順(연후내지대순)。

옛날 도에 밝은 사람은
백성들을 총명하게 만들지 않고 순박하게 만들었다.
백성들을 다스리기 어려운 것은
위정자들이 너무 많은 지모와 책략을 사용했기 때문이다.
따라서 지모로 나라를 다스리는 것은 나라의 재앙이고,
지모로 나라를 다스리지 않는 것은 나라의 복(福)이다.
이 두 가지를 아는 것은 법칙이며,
항상 법칙을 알아야 현덕(元德)이라 할 수 있다.
현덕은 심오하여
사물과는 반하지만
그래도 큰 조화를 이룬다.

De la antikveco tiuj, kiuj praktikas la Taŭon kun sukceso,
Ne klerigas la popolon per ĝi,
Sed kontraŭe per ĝi malklerigas ilin.

La kaŭzo, kial la popolo estas malfacile regata,
Estas, ke ili havas tro da saĝeco.
Tial regi la regnon per saĝeco estas por la regno katastrofo,
Kaj regi la regnon ne per saĝeco estas por la regno feliĉo.
Do koni la du manierojn (per saĝeco kaj ne per saĝeco) estas ankaŭ principo.
Ĉiam sekvi la principon estas nomata la mistera Virto.
La mistera Virto estas tre profunda kaj longedaŭra.
Ĝi estas kontraŭa al la naturo de konkretaj aferoj,
Tamen ĝi kondukas al la plej granda harmonio.

[해설]
이 장은, 사람들은 "지혜"로 나라를 다스려야 한다고 제안한다. 노자에 따르면, 지혜로 나라를 다스림은 그 나라 입장에서는 재앙이다; 정반대로, 지혜가 아닌 상태로 나라를 다스리고 백성을 무식한 상태로 둠이 그 나라로 봐서는 행복이다. 이는 노자가 우민주의(愚民主義) 정책을 주장하는 것 같은 인상을 받는다. 하지만 실제로는 그렇지 않다. 제18장에서는 노자는 서술하고 있다: "지성과 현명함이 있으면, / 큰 기만수단이 그 뒤를 따른다." 이는 실제로 노자는 지혜 그 자체가 아니라 그 기만술수에 반대함을 보여주고 있다. 이상 사회는, 노자에 따르면, 그 지배자(통치자, 다스리는 자)들과 백성은 더는 "지혜"를 쓰지 말아야 하고, 그 양측은 순박함으로 돌아와야 한다. 제57장의 마지막 부분에 쓴 것처럼.

[논평]
노자는 실제로 나라를 다스림에 있어 무지(無智)를 이용해야 한다는 말이 아니다. 그가 실로 증오하는 것은 기교와 허위의식(기만, 술수)이다. 그에 따르면 지혜, 다른 말로는, 교활함(교언영색)은 모든 재앙의 원인이 되고, 이 때문에 그는 사람들이 현명함을, 기교를 버리고 순박과 정직으로, 즉, 도로 돌아오라고 말한다. 그러한 그의 관점은 도의 특성 중 하나인, 순박함과 꼭 맞다. 이런 의미에서 사람들은 도로서 백성을 "우민화" 하는 것은 정말 인간 특성의 단련이자 완벽하게 하는 것이라고 말할 수 있다. 일반적으로 사람들이 더욱 지혜로워지려 하고, 더욱 교활해지려 하고, 더욱

즐기려 하지만 반면에 도(道)로부터는 언제나 자신을 멀리 두려고 하는 현대 사회에 살면서 우리 모두 정말 자신에게 물어야 한다. 즉, 우리는, 이전의 어느 시대보다 더욱 현명해지려 하고 더 지식을 갖추려고 하는 이때, 우리 원래의 순박함과 정직을 보전할 수 있는가?

第六十六章 제66장
ĈAPITRO 66

江海所以能爲百谷王者(강해소이능위백곡왕자)。
以其善下之(이기선하지)。
故能爲百谷王(고능위백곡왕)。
是以聖人欲上民必以言下之欲先民必以身後之(시이성인욕상민필이언하지욕선민필이신후지)。
是以聖人處上而民不重(시이성인처상이민불중)。
處前而民不害(처전이민불해)。
是以天下樂推而不厭(시이천하낙추이불염)。
以其不爭(이기부쟁)。
故天下莫能與之爭(고천하막능여지쟁)。

강과 바다가 모든 하천의 백곡(白谷 수많은 하천이 모이는 귀착점)의 왕이 될 수 있는 것은
더 아래에 존재하여
따라서 모든 하천의 백곡의 왕이 된다.
성인이 백성을 통치하려면
반드시 마음과 말이 일치해야 하고,
백성의 모범이 되고자 하면
반드시 자신의 이익을 백성들 뒤에 놓아야 한다.
그러면 사람들은 성인이 위에 있어도
백성들은 부담스러워하지 않으며
성인이 앞에 있어도
백성들은 피해를 본다고 생각하지 않는다.
따라서 백성들은 성인을 기꺼이 추대하면서도 싫어하지 않는다.
다른 사람과 다투지 않으니
따라서 하늘 아래 그 어느 누구도 그와 다툴 수 없다.

La kaŭzo, kial la riveregoj kaj la maroj povas esti la reĝoj de ĉiuj riveretoj,

Kuŝas en tio, ke ili scias resti pli malalte.
Jen kial ili povas esti la reĝoj de ĉiuj riveretoj.
Tial la Saĝulo[1], por regi super la popolo,
Nepre devas montri sian humiliĝon per siaj paroloj;
Kaj por gvidi la popolon,
Li nepre devas loki sin malantaŭ ili.
Tial, la Saĝulo estas super la popolo,
Sed la popolo ne sentas Lin ŝarĝo;
Li estas antaŭ la popolo,
Sed la popolo ne sentas lin malhelpo.
Tial ĉiuj sub la Ĉielo respektegas Lin kaj ne estas tedataj de Li.
Kaj ĝuste ĉar Li ne konkuras kontraŭ aliaj,
Neniu sub la Ĉielo povas konkuri kontraŭ Li.

[1] Vd. noton de ĉap. 2.
1 제2장의 주를 보라.

[해설]
이 장에서 노자는 백성을 다스리는 정책에 대한 자신의 의견을 피력하고 있다. 백성을 다스리려면, 사람들은 더욱 겸손해야 한다; 다른 사람들에 앞서서 있으려면, 그 사람은 자신을 그들 뒤에 세워야 한다. 그에 따르면, “다투지 않음”으로 사람들은 자신이 애쓰고자 하는 목표에 도달할 수 있다.

[논평] 이 장에서 노자는, 큰 강과 바다가 다른 샛강의 주인이 됨은 그들이 더 낮은 위치에 놓임을 알기 때문이고, 그 때문에 여러 샛강은 그들 속으로 흘러들어온다는 것을 설명한다; 그렇기에 노자는 통치자들이 백성을 다스리려면, 자신을 겸손하게 하고, 염치를 가지고서, 마치 큰 강과 바다가 하듯이, 낮게 자신을 드러내야 한다고 의견을 피력한다. 노자는 또한 변증법적 방법적으로, 앞과 뒤, 우월함과 열등, 경쟁과 비경쟁의 관계를 언급하고 있다. 그에 따르면, 백성을 잘 지도하려면, 그 지배자는 자신을 더 낮은 위치에 두기를 바라고 있어야 한다; 그들은, 자신의 우월성을 지니려면, 그들은 반드시 더 낮은 위치에 머무는 것을 더 좋아해야 한다; 모든 자신의 경쟁자들을 물려 치려고 누구와도 다투지 않아도 된다.

第六十七章 제67장
ĈAPITRO 67

天下皆謂我道大似不肖(천하개위아도대사불초)。
夫唯大(부유대)。
故似不肖(고사불초)。
若肖久矣(약초구의)。
其細也夫(기세야부)。
我有三寶(아유삼보)。持而保之(지이보지)。
一曰慈(일왈자)。
二曰儉(이왈검)。
三曰不敢爲天下先(삼왈불감위천하선)。
慈故能勇(자고능용)。
儉故能廣(검고능광)。
不敢爲天下先(불감위천하선)。故能成器長(고능성기장)。
今舍慈且勇(금사자차용)。
舍儉且廣(사검차광)。
舍後且先(사후차선)。
死矣(사의)。
夫慈以戰則勝(부자이전즉승)。
以守則固(이수즉고)。
天將救之(천장구지)。
以慈衛之(이자위지)。

세상사람들은 모두 내가 말하는 도는 커서
쓸모없는 것 같다고 한다.
무릇 크기 때문에
따라서 아마 쓸모없는 것 같은 것이다.
만약 쓸모가 있었다면
오래될수록 작아졌을 것이다.
나에게 3가지 보물이 있는데,
이를 지녀서 나를 보호한다.

첫째는 자애로움이고,
둘째는 검소함이며,
셋째는 천하의 사람들 앞에 감히 먼저 나서지 않음이다.
자애롭기에 용감할 수 있고,
검소하기에 능히 널리 베풀 수 있으며,
천하의 사람들 앞에 감히 먼저 나서지 않기에
만물의 수장이 될 수 있다.
지금 자애로움을 버리고 용감함을 택하고,
양보를 버리고 먼저 나서려 하면,
죽을 수밖에 없다.
무릇 자애로움으로 싸우면 이길 것이고,
자애로움을 지키면 견고해질 것이다.
하늘은 그를 자애로움으로 지켜줄 것이다.

Ĉiuj sub la Ĉielo diras, ke mia Taŭo estas granda,
Sed ĝi ne estas kiel io ajn konkreta.
Ĝuste ĉar ĝi estas granda,
Ĝi ne estas kiel io ajn konkreta.
Se ĝi estus kiel io konkreta,
Ĝi estus tre malgranda jam de longe.
Mi havas tri trezorojn, kiujn mi gardas en mi:
La unua estas “toleremo”,
La dua estas “ŝparemo”,
La tria estas “ne kuraĝi esti antaŭe de ĉiuj sub la Ĉielo”.
Kun toleremo oni povas esti brava,
Kun ŝparemo oni povas esti malavara,
Kun la nekuraĝo esti antaŭe de ĉiuj sub la Ĉielo, oni povas esti la ĉefo de ĉiuj estaĵoj.
Nuntempe, penante esti brava sen toleremo,
Penante esti malavara sen ŝparemo,
Kaj penante esti la unua sen cedemo,
Oni iras nur al la morto.
Kun toleremo oni povas venki en milito

Aŭ sin plifortigi en defendo.
Kiam la Ĉielo degnas savi iun,
Ĝi ŝirmas lin per toleremo.

[해설]
이 장은 도의 원칙을 정치와 군대(전쟁)에 적용하는 사례로 설명하고 있다. 노자는 그러면서 3가지 해법을 제안한다. 이는 "자애로움", "검소하기" 과 "천하의 사람들 앞에 감히 먼저 나서지 않음"를 말하는데, 이 3가지 원칙을 위배하면 필시 완전한 실패에 도달한다.

[논평]
이 장의 앞부분에서 노자는 도와 만물의 관계를 설명하고 있다. 그에 따르면, 무한히 끝없이 큰 것은 아무런 형태를 가지지 않지만, 모든 구체물은 각자 자신의 확정된 형태를 가지고 있다. 그 때문에 도는 자신의 절대적 추상성으로 만물과 구분된다.
이 장의 핵심적 내용은 3가지 "해법"에 대한 언급이다, 즉: 관용, 근검절약과 "하늘 아래 모든 이보다 앞서서 나아가지 않으려는 용기"이다. 도의 특성을 구체화하면서, 이 3가지는 실제로 인간 상호의 처신의 3원칙이라고 할 수 있다.

第六十八章 제68장

ÊAPITRO 68

善爲士者不武(선위사자불무)；
善戰者不怒(선전자불노)；
善勝敵者不與(선승적자불여)；
善用人者爲之下(선용인자위지하)。
是謂不爭之德(시위부쟁지덕),
是謂用人之力(시위용인지력),
是謂配天古之極(시위배천고지극)

훌륭한 장군은 무력으로 하지 않고,
싸움을 잘하는 사람은 쉽게 흥분하지 않고,
적을 잘 이기는 사람은 정면으로 충돌치 않고,
사람을 잘 부리는 사람은 자신을 낮춘다.
이것이 남과 다투지 않는 덕으로,
남의 힘을 사용하는 방법이고,
자연의 이치에 제일 부합하는 것이다.

La plej bona generalo ne estas militema;
La plej bona batalanto ne ekscitiĝas de kolero;
La plej granda konkeranto venkas sian malamikon sen lukto;
La plej bona uzanto de homoj montras sin humila al ili.
Tio estas nomata la Virto de nekonkuro;
Tio estas nomata la kapablo uzi alies forton;
Tio estas nomata la konformiĝo al la plej alta leĝo de la Ĉielo.

[해설]
전략 전술을 다루는 이 장에서, 노자는 물러섬과 방어를 주요 원칙으로 취해야 하며, 사람들이 애쓰는 목적을 "비경쟁심" 으로 도달하려면, 직접적인 충돌로 들어가는 것 대신에 다른 힘을

사용하는 것이 더 필요하다고 역설한다.

[논평]

군대는 투쟁적이고 잔혹한 성격의 싸움이다. 이 결과는 수많은 요인에 의해 결정된다. 적을 제압하고 승리를 쟁취하려면, 장군들은 자신이 가진 모든 장점을 잘 이용할 줄 알아야 하고, 단점을 피할 줄도 알아야 한다. 노자는 승리를 쟁취하는 가장 효과적 방법은 "군대를 동원하지 않으려는 마음" 과 "화를 내어 자극하지 않음"이고, 통치자들에게 자신의 무력이나, 잔혹성과 피를 부르는 욕심을 자랑하지 않을 것을 경고한다. 실제로 노자는 여기서 전술만 취급하는 것이 아니다. 그는 전쟁을 비경쟁심의 덕을 논하는 한 사례로써만 전쟁을 취한다. 그에 따르면 그 비(非) 경쟁심이 도의 특성 중 하나이며 도의 정신이다.

第六十九章 제69장
ĈAPITRO 69

用兵有言(용병유언)。
吾不敢爲主而爲客(오불감위주이위객)。
不敢進寸而退尺(불감진촌이퇴척)。
是謂行無行(시위행무행)。
攘無臂(양무비)。
扔無敵(잉무적)。
執無兵(집무병)。
禍莫大於輕敵(화막대어경적)。
輕敵幾喪吾寶(경적기상오보)。
故抗兵相加(고항병상가)。
哀者勝矣(애자승의)。

병법에 다음과 같은 말이 있다.
나는 감히 공격을 하지 않고,
다만 수비를 취하겠다.
한 치를 공격하느니,
차라리 한 자를 물러나겠다.
이는 나아가도 나아가지 않는 듯하고,
휘두르려고 해도 휘두를 팔이 없는 듯하고,
적을 만나도 무찌를 적이 없는 듯하고,
무기가 있어도 무기가 없는 듯 하라는 말이다.
적을 가볍게 보는 것처럼 큰 재앙은 없다.
적을 가볍게 보면 내 보배를 거의 잃을 것이다.
따라서 양 군이 서로 대치할 때는
위장을 잘하는 쪽이 승리한다.

Granda strategiisto iam diris:
“Mi ne kuraĝas preni la ofensivon,

Sed preferas la defensivon;
Mi ne kuraĝas antaŭenmarŝi eĉ unu colon,
Sed preferas retiriĝi unu futon.”
Tio estas nomata:
Disaranĝo de neniaj trupoj en batalordo,
Levo de neniaj brakoj,
Alfrontado de neniaj malamikoj,
Tenado de neniaj armiloj.
Ekzistas nenia katastrofo pli granda ol la subtakso de la malamiko;
La subtakso de la malamiko preskaŭ perdigus al mi miajn “tri trezorojn”.
Tial, kiam du egalfortaj kontraŭaj armeoj renkontiĝas,
Estas la indignigita, kiu gajnas la venkon.

[해설]
이 장은 전쟁 규율과 규칙에 더 관심을 두고 있다. 군사(전쟁) 방면에서 노자 정책은 전진을 위한 물러섬이다. 즉, 이 제안 속에 표현된 이 정책은 승리를 얻기 위해 주로 방어전략을 취하는 것이다. 노자는 다시 의견을 말한다: 적을 허술하게 만만하게 보면 안 된다. 또 쌍방이 힘의 균형을 가지고 있을 때, 승리를 취하기 위해 누가 더 많은 기회를 가질 것인가 하는 점에 더욱 분노로써 대해야 한다.

[논평]
현대 군대 장군은 노자 전술에 관한 다음과 같은 가르침을 끌어낼 수 있다:
먼저, 사람들은 반드시, 무엇보다 먼저, 전쟁에 반대해야 하고, 절대로 전쟁을 일으키는 자가 되어서는 안 된다. 왜냐하면, 전쟁은 실제로 정말 사람을 살상하고 파괴를 일삼게 되기 때문이다.
둘째, 장군은 전쟁에 있어 방어전략을 더 선호해야 한다. 하지만 이것이, 방어가 수동적임을 뜻하는 것이 아니다. 왜냐하면, 승리를 쟁취하려면 그들은 효과적인 수단들을 취해야만 한다. 이를 이름하여: 전시질서에서 아무 군대도 배치하지 않음, 아무런 팔도 올리지 않음, 아무런 적도 마주치지 않음, 아무런 무기도 지니지 않음. 이러한 원칙들은 도의 “무위” 의 원칙에 올곧이 맞다.

셋째, 노자에 따르면, 승리 쟁취의 요인 중에서 가장 중요한 것들은 다음의 2가지다: 1. 장군은 적을 과소평가해서는 안 된다, 왜냐하면 자만심으로 가득 찬 군대는 피할 수 없을 정도로 패배를 경험하게 된다; 2. 전시의 일방과 상대방의 힘의 균형이 유지될 경우, 승리를 쟁취하는 것엔 분명 분노가 일어야 한다. 왜냐하면, 그 일방은, 공격을 선호하는 일방은, 적에 대항하는 일치된 분노를 가지고 싸워야만 한다. 그런 경우 그들의 힘은 전혀 서로를 이길 수 없을 것이다.

第七十章 제70장
ĈAPITRO 70

吾言甚易知(오언심이지)。甚易行(심이행)。
天下莫能知(천하막능지)。莫能行(막능행)。
言有宗(언유종)。
事有君(사유군)。
夫唯無知(부유무지)。
是以不我知(시이불아지)。
知我者希(지아자희)。
則我者貴(즉아자귀)。
是以聖人被褐懷玉(시이성인피갈회옥)。

나의 말은 참으로 이해하기 쉽고,
실천하기도 쉽다.
천하 사람들은 이해하지 못하고,
실천하지도 않는다.
나의 말에는 근거가 있고,
일에도 원칙이 있다.
무릇 근거도 원칙도 모르니까,
나를 모르는 것이다.
나를 이해하는 사람이 적고,
나의 말을 따르는 사람도 적은 것이다.
그래서 성인은 하는 수 없이 남루한 옷을 입고,
속으로 옥을 품고 있는 것이다.

Miaj vortoj estas tre facile kompreneblaj kaj tre facile praktikeblaj,
Sed neniu sub la Ĉielo povas ilin kompreni, nek praktiki.
La paroloj devas havi sian principon,
Kaj la agoj devas havi sian mastron.
Ĝuste pro sia nesciado pri tio,

Oni ne povas min kompreni.
Tiuj, kiuj min komprenas, estas tre malmultaj,
Kaj tiuj, kiuj povas min sekvi, estas apenaŭ troveblaj.
Jen kial la Saĝulo[1] portas krudan eksteran veston kaj tamen havas altvaloran jadon en sia sino[2].

[1] Vd. noton de ĉap. 2.

[2] Tiu ĉi metaforo signifas havi eksterordinarajn talentojn, kiuj estas kaŝitaj sub modesta eksteraĵo.

1 제2장 주를 보라.
2 이 은유는 겸손한 외양 아래 숨겨져 있는 특출한 능력을 표현하고 있다.

[해설]
이 장에서 노자는 불평한다: 사람들이 그의 저술을 이해하지 못한다고, 그의 사상을 실천해보지 않는다고. 그는 자신의 능력을 알아주고, 그 자신의 높은 사상을 좋아해 줄 능력이 있을 만한 사람을 만나지 못해 섭섭해한다. 그래서 그는 남루한 옷을 입은 채, 제 몸속에 값나가는 옥을 지니고 다니는 것 외에는 아무것도 할 수 없음에 안타까워한다.

[논평]
비록 노자 저술이 5,000개 한자로 구성되어 있지만, 거의 모든 글자는 빛나는 진짜 보석과 같다. 하지만 사실 그가 살던 시대에는 아무도 그의 사상을 받아들이려 하지 않았고, 이를 실천할 준비가 되어 있지 않았다. 그래서 이 장에서는 노자는 자신의 대단한 안타까움을 내보이고 있다. 그럼, "노자 책은 무슨 사상을 지녔으며, 표면상으로 아주 쉽게 이해되어도 매우 어렵게 실천되는 것이 무슨 말인가?" 그것은 "무위(無爲, senagado)"에 있음에, 고요 속에 있음에, 자신의 물렁하고 약함을 지킴에, 자연의 순박함에 돌아감에, 비경쟁심의 덕을 따름에 있음과 같은 말이다. 이 사상은, 노자에 따르면, 자연의 원칙, 이름하여, 도의 성질에 꼭 온전히 맞고, 따라서 실천해 볼 수 있다. 그런데 실제로 그것들은 무시되고, 당시 거의 모든 사람에 의해, 특히 통치자로부터 거부를 당한 이유는 무엇일까? 노자는 그 원인을 통치자들이, 노자 사상이 겉으로 보기에는 단순하지만 실제 너무

심오하여, 깊이 이해하고 실질로 실현해 보기에는 너무 깊고 오묘하다. 또한, 그 통치자들은 노자 사상을 이해하기에는 너무 지식수준이 낮고 고집이 많아서라고 한다. 이 장에서 노자가 말하는 안타까움과 실망 원인이다.

第七十一章 제71장
ÂCAPITRO 71

知不知上(지부지상)。
不知知病(부지지병)。
夫唯病病(부유병병)。
是以不病(시이불병)。
聖人不病(성인불병)。
以其病病(이기병병)。
是以不病(시이불병)。

알지 못한다는 것을 아는 것이 가장 훌륭하고,
모르면서 안다고 하는 것은 결점이다.
무릇 결점을 결점이라 여기면,
결점이 되지 않는 것이다.
성인은 결점이 없다.
결점을 결점으로 인식하고 있기에,
결점이 되지 않는 것이다.

Scii, ke oni mem ne scias, estas plej bone;
Pretendi scii, kion oni mem ne scias, estas terura manko.
Nur tiu, kiu rekonas tian mankon kiel mankon,
Povas esti libera de tia manko.
La Saĝulo[1] estas libera de ĉiaj mankoj,
Ĉar Li rekonas la mankojn kiel mankojn.
Jen kial Li estas libera de ĉiaj mankoj.

[1] Vd. noton de ĉap. 2.

1 제2장을 보라.

[해설]

이 장의 주제는 자신을 앎이다. 노자에 따르면, 자신의 결점(부족)과 그 결점(부족)을 아는 이만이 자신의 결점(부족)을 벗어날 수 있는 현명한 사람이다.

[논평]

노자에 따르면, 사람들이 스스로 알려면, 자신이 아직 모르는 바를 알아야 하고, 또 제 지식의 한계를 자각해야 하고, 스스로 모르는 바를 아는 체해서는 안 된다. 바로 그래야만 사람들은 스스로의 결점(부족, 결핍)을 최대한 줄일 수 있고, 가능한 한 실수도 피할 수 있다. 노자는 왜 현인이 이 모든 실수로부터 자유로운가 하는 원인은 스스로 제대로 앎과 제 부족을 제대로 앎, 제 지식 한계에 대해 전혀 숨김이 없음에 놓여 있다고 말한다.

그러나, 여기서 노자는 스스로 사람들에게, 사람들이 바깥세상을 탐구하는 대신, 도를 깊이 이해하는 일에만 애쓰기를 격려하고 있다. 그래서 그는 원하기를, 사람들은 제 지식을 외부세계를 이해하고, 이를 쌓으려는 일에 몰두하지 말고, 스스로의 순박함과 정직성을 지키는 일에 힘쓰라고 말한다. 그에 따르면, 도를 깊이 이해하는데 불필요한 지식은 던져버려야 하고, 그래서, 만일 사람들이 제 지식을 갖고 자랑을 일삼으면, 그 결과는 분명 자신들의 염원과는 달리 입증될 것이다.

第七十二章 제72장

ĈAPITRO 72

民不畏威(민불외위)。
則大威至(즉대위지)。
無狎其所居(무압기소거)。
無厭其所生(무염기소생)。
夫唯不厭(부유불염)。
是以不厭(시이불염)。
是以聖人自知不自見(시이성인자지부자견)。
自愛不自貴(자애부자귀)。
故去彼取此(고거피취차)。

백성들이 위엄을 두려워하지 않으면,
더 큰 위협과 재난에 이르게 된다.
백성들의 주거를 착취하지 말아야 하고,
백성들의 생존을 위협하지 말아야 한다.
무릇 백성들을 탄압하지 않으면,
백성도 미워하지 않을 것이다.
따라서 성인은 스스로를 알려고 노력하지
자신을 드러내려고 하지 않고
스스로 사랑하기 때문에 자신의 귀함을 나타내려 하지 않는다.
그래서 성인은 후자(自見, 自貴)를 버리고 전자(自知, 自愛)를 취한다.

Kiam la popolo ne timas vian potencon,
Io pli potenca kaj terura baldaŭ okazos.
Ne malvastigu la loĝspacojn de la popolo,
Nek senigu ilin je iliaj vivrimedoj.
Nur ne subpremante la popolon,
Vi povas sentigi al ili nenian subpremon.
Tial la Saĝulo[1] konas sin mem kaj tamen ne estas sinmontrema,

Amas sin mem kaj tamen ne sin gravigas.
Jen kial Li preferas memkonon kaj memamon al sinmontremo kaj singravigo.

[1] Vd. noton 1 ĉap. 2.

1 제2장의 주 1를 보라.

[해설]
노자는 백성을 억압으로 다스리지 말고, 그들에게 생활수단을 제공해 줌으로써 다스리기를 제안한다. 그가 말하는 통치는 스스로 나서기보다는 겸손하게 행동하기를 선호해야 한다고 희망한다.

[논평]
이 장에서 노자는 통치자라면 국민에게 좀 더 너그러운 모습을 보여야 하고, 자기 자신을 잘 알고 적절히 자기 자신을 사랑하고 있음을 보이라고 한다. 왜냐하면, 그에 따르면, 국민이 통치자로 인해 자신의 생활수단이 없어지고 잔혹한 억압을 당해 이를 참을 수 없게 되면, 그들은 이미 통치자를 무서워하지 않고, 자기 목숨을 내버릴 태세로 통치자에게 반역을 시도할 수 있다. 그러니, 통치자는 백성을 억압으로 다스리면 안 된다. 반면에, 좋은 통치자라면 국민은 아무 억압정치를 느끼지 않게 되고, 백성 스스로 아무에게 억압을 당하지 않음을 느끼지 않으니, 통치자에 대항하는 반역의 마음도 전혀 가지지 않는다. 더구나, 통치자도 자신을 드러내지도 않아야 하고, 자신을 중요시하지 않도록 해야 한다. 만일 그 통치자가 백성에게 겸손하고 제 몸을 낮추면, 그는 분명 백성으로부터 사랑과 지지를 받을 것이고, 그때 그의 지배는 더욱 공고해질 것이다.

第七十三章 제73장
ĈAPITRO 73

勇於敢則殺(용어감즉살)。
勇於不敢則活(용어불감즉활)。
此兩者或利或害(차양자혹리혹해)。
天之所惡(천지소오),
孰知其故(숙지기고)。
是以聖人猶難之(시이성인유난지)。
天之道(천지도)。
不爭而善勝(부쟁이선승)。
不言而善應(불언이선응)。
不召而自來(불소이자래)。
繟然而善謀(천연이선모)。
天網恢恢(천망회회)。
疏而不失(소이불실)。

용감하면서 강직하면 죽고,
용감하면서 유연하면 산다.
이 2가지 가운데 어떤 것은 이롭고 어떤 것은 해롭다.
하늘이 싫어하는 것을 그 누가 알 수 있겠는가?
따라서 성인은 망설이면서 어려워한다.
하늘의 도는
싸우지 않고도 쉽게 이기고,
말하지 않고도 쉽게 알아들으며,
부르지 않아도 스스로 오고,
느긋하면서도 일을 잘 처리한다.
하늘의 그물은 광대하고 드넓어 성긴 듯하지만
아무것도 놓치는 것이 없다.

Tiu, kies braveco kuŝas en aŭdaco, perdas la vivon;

Kaj tiu, kies braveco kuŝas en neaŭdaco, konservas la vivon.
El la du specoj de braveco, unu estas avantaĝa, la alia malutila.
Kiam la Ĉielo havas ian abomenon,
Kiu povus scii ĝian kaŭzon?
Tial eĉ la Saĝulo[1] trovas malfacila tion klarigi.
Estas la Taŭo de la Ĉielo,
Kiu ne batalas kaj tamen lerte gajnas venkon,
Kiu ne parolas kaj tamen lerte faras respondon,
Kiu, kvankam ne vokite, venas propramove,
Kiu, kvankam malrapide, lerte planas.
Vasta estas la reto de la Ĉielo,
Kaj grandaj estas ĝiaj maŝoj, sed ĝi lasas al nenio ilin trairi.

[1] Vd. noton 1 de ĉap. 2.

1 제2장의 주1을 보라.

[해설]
이 장은 삶과 인생 운명론에 대한 노자가 제안하는 태도를 설명한다. 노자에 따르면, 모든 일은 하늘이 이미 정해 놓은 일이기에, 또 사람은 하늘의 안배 아래 자신을 두는 것 외에는 다른 할 일이 없기에, 아무것도 애쓰지 말며, 아무것도 하지 않으며, 아무 말도 하지 않아야 한다고 한다. 그러한 "무위"가 장점으로 작용하고, 반면에, 행동은 비우호적 결과를 만들어 낸다.

[논평]
노자는 피력하기를, 사람들이 다른 사람에 대한 자신의 태도에서 '하늘의 도'가 가지는 원칙을 따라야 한다. 그럼 이 장에서 말하는 하늘의 도가 가지는 원칙이란 무엇인가? 그것은 "싸우지 마라", "말하지 말라", "부르지 마라", "서두르지 마라" 이다. 그런 원칙으로 행동한 결론은 "능숙하게 승리를 얻는 것", "능숙하게 대답하는 것", "스스로 움직이는 것"과 "능숙하게 계획하는 것"이다. 이 모두는 실제에 있어 하늘의 도의 "무위" 원칙의 결과물이다. 이 원칙은 물론 사람에게도 적용되어야 한다, 때문에, 만일 사람이 "무위"의 원칙을 따르지 않고 과감하게 또 고삐 풀린 채

행동하면, 그때 사람은 제 생명을 잃을 위험이 있다.
이 장의 마지막 문장인 "**하늘의 그물은 광대하고 드넓어 성긴 듯하지만 아무것도 놓치는 것이 없다**." 함은, 비록 보통은 "죄인 절대로 법망을 벗어날 수 없다"라는 말로도 주로 이해되지만, 아주 자주 언급되는 격언이다. (서양 속담 '하느님의 맷돌은 천천히 갈지만 정갈하게 간다' 와 비교해 보라). 실제로 우리 사고능력이 평가할 수 있는 것보다 훨씬 광범위하고 깊은 뜻을 가진다.

第七十四章 제74장
ĈAPITRO 74

民不畏死(민불외사)。
奈何以死懼之(나하이사구지)。
若使民常畏死而爲奇者(약사민상외사이위기자)。
吾得執而殺之(오득집이살지)。
孰敢(숙감)。
常有司殺者殺(상유사살자살)。
夫代司殺者殺(부대사살자살)。
是謂代大匠斲(시위대대장착)。
夫代大匠斲者(부대대장착자)。
希有不傷其手矣(희유불상기수의)。

백성들이 죽음을 두려워하지 않는데
어떻게 죽음으로 그들을 위협할 수 있겠는가?
만약 백성들이 언제나 죽음을 두려워하고,
범법자를 잡아다 죽이면,
누가 감히 나쁜 짓을 할 수 있을까?
사형을 집행하는 사람은 언제나 있다.
무릇 사형을 집행하는 사람이 대신 사람을 죽이는 것은
목수를 대신하여 나무를 베는 것이다.
큰 목수를 대신 해 나무를 베는 사람은
자기의 손을 다치지 않는 사람이 드물다.

La popolo ne timas morton;
Kial do minaci ilin per ĝi?
Se la popolo timus morton
Kaj mi povus kapti kaj mortigi tiujn, kiuj faras malordon,
Kiu do kuraĝus plu fari malordon?
Troviĝas ĉiam ekzekutisto, kiu estas preta fari mortigojn.

Fari mortigojn anstataŭ la ekzekutisto
Estas kiel haki lignon anstataŭ lerta ĉarpentisto.
El tiuj, kiuj hakas lignon anstataŭ lertaj ĉarpentistoj,
Preskaŭ neniu evitas vundi siajn manojn.

[해설]
이 장은 살육과 폭정으로 백성을 다스리는 통치자에 대한 경고이다. 사형집행인 대신에 살인을 일삼는 통치자는, 불가피하게도, 아주 나쁜 결말에 도달한다, 그렇게 노자는 백성을 오로지 폭력으로 다스리지 말라고 제안한다. 왜냐하면, 그러한 살인을 일삼으면, 백성을 지배하는 목표에 도달할 수 없기 때문이다.

[논평]
"백성들이 죽음을 두려워하지 않는데 어떻게 죽음으로 그들을 위협할 수 있겠는가?" 이 질문으로 노자는 통치자가 자행하는, 백성을 죽임에 대한 강한 반대를 표현하고, 또 그런 폭정에 대항하는, 무섬 없는 백성의 정신에 경의를 표현한다. 사형죄와 관련해, 노자는 실제로 이에 아무 구분 없이 반대하는 것은 아니다. 그는 백성을 위협하는 수단으로써 사형죄를 너무 남용하는 것만 반대한다. 통치자는, 물론, 법적으로 죄인("사회질서를 무질서하게 만든 자들")을 사형선고할 수 있다. 이 경우 사형죄는 나쁜 행동을 하는 자들이 그런 범법행위를 하지 못하게 하는 경고이다. 하지만 만일 통치자가 백성을 다스리는 수단으로, 두렵게 만드는 수단으로 백성에 대해 사형죄를 남용하면, 그때, 이로부터 그들이 자신의 나라뿐만 아니라 자기 자신조차도 황폐하게 만든다는 분명한 결론에 도달할 것이다.

第七十五章 제75장

ĈAPITRO 75

民之饑(민지기)。
以其上食稅之多(이기상식세지다)。
是以饑(시이기)。
民之難治(민지난치)。
以其上之有爲(이기상지유위)。
是以難治(시이난치)。
民之輕死(민지경사)。
以其上求生之厚(이기상구생지후)。
是以輕死(시이경사)。
夫唯無以生爲者(부유무이생위자)。
是賢於貴生(시현어귀생)。

백성들이 굶주리는 것은
통치자가 징수한 많은 세금을 가로채기 때문이다.
백성들을 다스리기 어려운 것은
통치자가 인위적으로 폭정을 하기 때문이다.
백성들이 죽음을 가볍게 생각하는 것은
통치자가 자신들의 안위만 두텁게 하기 때문이다.
무릇 자신의 안위만을 위하지 않는 사람이
자신들의 생명만 귀히 여기는 사람보다 낫다.

La popolo suferas malsategon,
Ĉar tro multaj el la impostoj estas forglutitaj de la regantoj, —
Jen la sola kaŭzo, kial la popolo suferas malsategon.
La popolo estas malfacile regebla,
Ĉar la regantoj tro amas fari agojn, —
Jen la sola kaŭzo, kial la popolo estas malfacile regebla.
La popolo riskas sian vivon,

Ĉar la regantoj tro zorgas pri sia vivo, —
Jen la sola kaŭzo, kial la popolo estas devigita riski sian vivon.
Nur tiuj, kiuj ne ŝatas sian vivon,
Estas pli saĝaj ol tiuj, kiuj tro ŝatas sian vivon[1].

[1] La regantoj, kiuj tro ŝatas sian vivon, neeviteble plipezigas la impostojn kaj tiel mizerigas la popolon.

1 너무 자신의 생명을 좋아하는 통치자는, 피할 수 없이 세금을 중과하고 그리하여 백성을 궁핍에 빠뜨리게 된다.

[해설]
이 장에서 노자는 통치자에게 백성의 고충을 외면한 채 자신의 호화로운 삶에 빠지지 말기를 조언한다. 어느 정도로 착취를 줄여주는 통치자를 칭찬하고, 그런 통치자가 과도하게 착취하는 통치자보다 현명하다고 지적한다.

[논평]
왜 백성은 언제나 궁핍에 고초를 당해야 하는가? 왜 백성은 통치자에게 자신을 숙이지 않는가? 왜 백성은 반역으로 제 목숨을 기꺼이 바칠 의도를 가지겠는가? 노자에 따르면, 그 이유는, 백성을 억압할 때, 그 통치자는 자신의 과도한 욕심에 놓여 있다. 이 장은 통치자들이 자신의 백성에게 하는 착취를 줄여야 함을 경고로 말하고 있다, 그런 목적으로 이 장에서 노자는 통치자에게 도의 "무위" 원칙을 따르도록 조언한다.

第七十六章 제76장
ĈAPITRO 76

人之生也柔弱(인지생야유약)。
其死也堅強(기사야견강)。
萬物草木之生也柔脆(만물초목지생야유취)。
其死也枯槁(기사야고고)。
故堅強者死之徒(고견강자사지도)。
柔弱者生之徒(유약자생지도)。
是以兵強則不勝(시이병강즉불승)。
木強則兵(목강즉병)。
堅強處下(견강처하)。
柔弱處上(유약처상)。

사람이 살아있을 때는 부드럽고 약하지만
죽으면 딱딱하고 강해진다.
초목 같은 모든 사물도 살아있을 때는 부드럽고 약하지만,
죽으면 말라서 딱딱해진다.
따라서 딱딱하고 강한 것은 죽음의 무리이고,
부드럽고 약한 것은 삶의 무리이다.
그래서 군대가 강하면 이기지 못하고,
나무가 강하면 부러진다.
딱딱하고 강한 것은 하등이고,
부드럽고 약한 것은 상등이다.

Naskiĝinte, la homo havas korpon molan kaj malfortan,
Mortinte, li havas korpon malmolan kaj rigidan.
Ĉiuj estaĵoj, kiel herboj kaj arboj, estas suplaj dum sia vivo,
Sed ili fariĝas sekaj kaj rompiĝemaj post sia morto.
Tial la malmola kaj forta apartenas al la morto,
Dum la mola kaj malforta apartenas al la vivo.

Jen kial la armeo, fariĝinte potenca, frakasiĝos,
Kaj la arbo, kreskinte forta, rompiĝos.
Do la malmola kaj forta okupas la malsuperan pozicion,
Kaj la mola kaj malforta okupas la superan pozicion.

[해설]

이 장에서 노자는, 물렁하고 약한 것은 가장 강력하고, 반면 단단하고 강한 것은 가장 깨지기 쉽고, 사멸에 가까이 가게 된다는 보편 원리로 결론을 짓고 있다.

[논평]

노자는 말하기를, 사람은, 초목과 비슷하여, 태어나서는 물렁하고 약한 몸을 지녔지만, 죽으면 단단하고 딱딱한 몸체를 가진다. 이는 자연 속 만물에게 지배되는 공통의 법칙이라고 하면서, 그는 만물을 오래 관찰한 뒤, 이렇게 결론을 지었다: **"딱딱하고 강한 것은 죽음의 무리이고, 부드럽고 약한 것은 삶의 무리이다."** 또 "물렁하고 약한 것이 단단하고 강한 것을 이긴다" 물렁함과 단단함, 유약함과 강함 사이의 그의 이러한 관점은 표면상으로는 파라독스처럼 보이지만, 실제, 이것이 깊은 철학으로 가득 찬 진리임을 보여준다. 이는 실로 우리에게 생각하게 만드는 대목이다.

第七十七章 제77장
ĈAPITRO 77

天之道(천지도)。
其猶張弓歟(기유장궁여)。
高者抑之(고자억지)。
下者擧之(하자거지)。
有餘者損之(유여자손지)。
不足者補之(부족자보지)。
天之道損有餘而補不足(천지도손유여이보부족)。
人之道則不然(인지도즉불연)。
損不足以奉有餘(손부족이봉유여)。
孰能有餘以奉天下(숙능유여이봉천하)。
唯有道者(유유도자)。
是以聖人爲而不恃(시이성인위이불시)。
功成而不處(공성이불처)。
其不欲見賢(기불욕견현)。

하늘의 도는
마치 활줄을 당긴 활과도 같은 것이다.
높으면 누르고,
낮으면 들어 올린다.
여유가 있으면 좀 느슨하게 해 주고,
부족하면 좀 팽팽하게 해 준다.
하늘의 도는
여유가 있으면 느슨하게 해 주고,
부족하면 보충해 주지만,
사람의 도는 그렇지 않다.
부족한 쪽에서 덜어 넉넉한 쪽에 보태준다.
누가 여유로움으로 천하를 봉양할 수 있을까?
무릇 도가 있는 사람만이 할 수 있다.
그러므로 성인은 만물을 위하지만 자랑하지 않고,

공을 이루고도 그 안에 머물지 않고,
자신의 현명함을 드러내지 않는다.

Ĉu la Taŭo de la Ĉielo ne estas kiel pafarko,
Kiun oni streĉas por celado?
Kiam ĝi estas alta, oni devas ĝin iom malaltigi,
Kiam ĝi estas malalta, oni devas ĝin iom plialtigi.
Kiam ĝi estas tro streĉita, oni devas ĝin iom malstreĉi,
Kaj kiam ĝi estas nesufiĉe streĉita, oni devas ĝin iom pli forte streĉi.
La Taŭo de la Ĉielo estas
Malpliigi la tromultecon por plenigi la nesufiĉon.
Sed la Taŭo de la homoj estas mala —
Ĝi forprenas de tiuj, kiuj ne havas sufiĉon, por doni al tiuj, kiuj havas superabundon.
Kiu do povas doni el la pli-ol-sufiĉo al la mondo?
Nur tiu, kiu posedas la Taŭon.
Tial la Saĝulo[1] akcelas ĉiujn estaĵojn sen atribui al si la kontribuon;
Plenumante tion ĉi, Li vekas nenies atenton al sia faritaĵo,
Nek volas paradi per siaj saĝeco kaj kapablo.

[1] Vd. noton 1 de ĉap. 2.

1 제2장 주1을 보라.

[해설]
이 장에서 노자는 하늘의 도를 우리 사회와 비교하고 있다. 노자에 따르면, 하늘의 도가 가장 공평하지만, 우리 사회는 하늘의 도만큼 그렇게 공평하지 않다. 이 때문에 사회의 동요가 생긴다. 노자는 그의 시대에 사회 위기가 위협적으로 올지 모른다는 것에 주목하고는 자신의 해결책 –즉, "무위"를 제시한다. 제 자신에게 아무 가치를 두지 않음과 자신의 현명함과 능력으로 타인과 견주지 않음을 말하고 있다.

[논평]

노자는 자연의 법칙을 화살 쏘는 것에 비교하고 있다. 그에 따르면, 자연에 있어 과도함이나 불충분함, 이 2가지가 도에 맞지 않기에, 그들 사이에 평등이 있으려면, 그것들은 자동으로 정확히 측정되어야 한다. 그 때문에 하늘의 도가 가장 공평한 것이다. 온전히 정반대로, 사람의 법칙은 그 사회의 불평등을 지지한다. 사회에서는 언제나 정글의 법칙이 지배한다: 강자는 언제나 약자를 지배하고, 부자는 더 가난한 사람들을 곤궁에 빠뜨림으로써 언제나 부를 쌓는다, 이것은 노자가 쓴 그대로이다: **"사람의 도는 부족한 쪽에서 덜어 넉넉한 쪽에 보태준다."**. 그 때문에 노자는 도를 지닌 이가 나타나기를 염원한다, 그 도를 지닌 이는 "더 많이 충분히 가진 자의 것을 취해 세상에" 나누어 주는 이다, 그리고 도에 맞은 평등이 지배하는 아름다운 사회가 이뤄지기를 염원한다.

第七十八章 제78장
ĈAPITRO 78

天下莫柔弱於水(천하막유약어수)。
而攻堅強者莫之能勝(이공견강자막지능승)。
其無以易之(기무이이지)。
弱之勝強(약지승강)。
柔之勝剛(유지승강)。
天下莫不知(천하막부지)。
莫能行(막능행)。
是以聖人云(시이성인운)。
受國之垢(수국지구)。
是謂社稷主(시위사직주)。
受國不祥(수국불상)。
是爲天下王(시위천하왕)。
正言若反(정언약반)。

천하에는 물보다 유연하고 약한 것이 없다.
그러나 단단하고 강한 것을 공격하는 데는
물보다 더 나은 것이 없다.
왜냐하면, 어떤 것도 물을 대신할 만한 것이 없기 때문이다.
약한 것이 강한 것을 이기고,
부드러운 것이 딱딱한 것을 이긴다는 것을
천하에 모르는 사람이 없으나,
이를 실행하는 사람은 없다.
그러므로 성인은
온 나라의 굴욕을 혼자 감당할 수 있어야
사직의 주인이 될 수 있고,
온 나라의 재앙을 혼자 책임질 수 있어야
천하의 왕이 될 수 있다고 말한다.
진리에 부합되는 말을 사람들은 마치 반대로 하는 것 같다.

Nenio sub la Ĉielo estas pli mola kaj pli malforta, ol la akvo,
Sed, en atako al io malmola kaj forta, nenia forto estas komparebla kun ĝi,
Ĉar nenio povas ĝin anstataŭi.
La fakto, ke la malforta povas venki la fortan
Kaj la mola povas venki la malmolan,
Estas konata al ĉiuj sub la Ĉielo,
Sed neniu volas sekvi kaj praktiki tiun ĉi leĝon.
Tial la Saĝulo[1] diris:
"Tiu, kiu portas sur si la humiliĝon de la tuta regno,
Povas esti ĝia suvereno.
Tiu, kiu portas sur si la katastrofon de la tuta regno,
Povas esti la reĝo de ĉiuj sub la Ĉielo."
Pozitivaj vortoj ŝajnas negativaj[2].

[1] Vd. noton 1 de ĉap. 2.
[2] T.e. veraj paroloj iafoje ŝajnas paradoksaj.

1 제2장 주1을 보라.
2 즉, 진실한 말은 어떤 경우에는 파라독스적이다.

[해설]
이 장에서 노자는 다시 물의 특성을 칭찬하고 있다. 물은 표면상 물렁하고 약해 보이지만, 단단하거나 힘센 것이 뭐든 간에 물을 이길 수 없다. 이를 통해 노자는 결론적으로 말한다: 물렁함이, 약함이 또 겸허함이 표면상 잃는 것이 많은 것 같아도, 실제로 얻음이다. 왕으로 있으면서, 사람들은 마땅히, 물과 비슷하게, 제스스로 전체 나라의 수치심(겸손)을 감당해야 한다. 그런 방식으로 그는 표면상 가장 낮은 위치에 있는 듯하지만, 실제로 그는 백성 위에 군림하는 높은 위치를 점하고 있다.

[논평]
노자는 피력하기를, 물은 도의 거의 모든 특성을 상징한다. 그에 따르면, 자연에서 물보다 더 물렁하고 약한 존재는 없다, 그리고 그럼에도 물은 가장

단단하고 가장 강력한 사물조차도 이길 수 있다. 이는 모두에게 잘 알려진 진실이지만, 모든 사람이 누구나 실제 이를 잘 적용하지는 못하고 있다, 예를 들어, 물방울 하나하나가 나중에는 바위를 뚫는다는 것을 잘 알지만, 겨우 적은 수효의 사람만이 진실로 물의 사례를 이용해 이를 행동해 보려고 한다, 왜냐하면, 물이 끊임없음과 지속성으로 바위를 뚫는 연유는 물의 물렁함과 유약함에 있을 뿐만 아니라, 물이 겸손하게 가장 낮은 곳에 임하고, 아무것과도 경쟁하지 않음에도 있다. 비록 어떤 사람들이 물방울이 하듯이 그렇게 끊임없음과 지속성을 갖추고 있다 하더라도, 그 사람들이 자신의 너무 큰 욕심, 이익 도모나 명성을 추구함에 가득 차 있으면, 자신의 우월성, 야망, 경쟁심, 자신의 낮은 상황에 대한 불만 등을 이길 수 없기에, 따라서 그들은 자신을 겸손하게 원하지도 않고, 겸손해질 수도 없다. 이것이 인성의 이길 수 없는 유약함이다.

노자는 또한 나라의 다스림에도 단단하고 강함 위에는 물렁하고 유약함이 이긴다는 사상을 적용한다. 그에 따르면 우월심과 경쟁심에서 자유롭고 온 나라의 겸손을 자신의 위에 준비된 인물이야말로, 나라의 주재자로서 잘 맞다. 왜냐하면, 표면상으로는 낮은 위치를 취하는 그런 지배자는 실제로 자신의 고상함과 위엄성을 보전할 수 있는 사람이다.

第七十九章 제79장
ÇAPITRO 79

和大怨必有餘怨(화대원필유여원)。
安可以爲善(안가이위선)。
是以聖人執左契(시이성인집좌계)。
而不責於人(이불책어인)。
有德司契(유덕사계)。
無德司徹(무덕사철)。
天道無親(천도무친)。
常與善人(상여선인)。

큰 원망은 아무리 풀려고 해도,
반드시 원망이 남기 마련이다.
어찌 원망을 사는 것이 좋은 것이겠는가?
따라서 성인은 천하를 다스리면서
좋은 채권자로서 돈을 빌려주지만
빚 독촉은 하지 않는다.
덕이 있는 사람은
좋은 채권자처럼 돈을 빌려주며
빚 독촉을 하지 않아 원한이 없지만
덕이 없는 사람은
세금을 걷어드리는 듯하여 원한을 산다.
천도(天道)는 사심이 없으며 언제나 선한 사람과 함께 한다.

Post kiam du partioj en granda malamikeco estas repacigitaj, devas resti ia rankoro.
Kiel do tio povas esti kalkulata kiel afero bona?
Tial la Saĝulo[1], kvankam tenante la stumpon de ŝuldatesto,
Ne postulas de la debitoro la pagon.
La homo kun la Virto estas nepostulema kiel la tenanto de la ŝuldatesta stumpo;

La homo sen la Virto estas kalkulema kiel la kolektanto de rentoj.
La Taŭo de la Ĉielo, kiu estas partia al neniu,
Ĉiam helpas la bonajn homojn.

[1] Vd. noton 1 de ĉap. 2.

1 제2장 주1을 보라.

[해설]
이 장은 사람들 사이의 분규를 "무위"의 원칙으로 해결하기를 촉구한다. 노자에 따르면, 사람들은 서로에게 적의를 두지 말아야 한다, 그런 적의로 인해 생기는 원한은 쉽게 버릴 수 없기 때문이다. 그럼, 사람들은 자신들 사이의 아무 적의를 가질 수 없단 말인가? 그들을 위한 가장 나은 방법은 채무에 대한 입증 서류 원본을 지녔으나, 요구하지 않는 관용적인 사람처럼 행동하는 것이다. 만일 사람들이 그렇게 행동한다면, 언제나 하늘의 도의 도움을 받을 것이요, 그의 행동은 선의로써 보답을 받을 것이다.

[논평]
사람들은 누군가와의 불화 뒤에 남은 원한을 어찌 처리할 것인가? 보통 사람은 "눈에는 눈, 이에는 이로"라는 원칙으로 행동하고, 자신의 훼방꾼을 그 훼방꾼이 언젠가 그에게 한 방식대로 똑같이 행동하여, 그 결과로 그 두 사람은 서로 더욱 원한으로 대하게 된다. 하지만, 만일 그 악의의 희생자가 "그런 악의에 뭔가 선의로 대한다"고 하더라도, 그때에도 그 원한은, 비록 억압되어 있어도, 여전히 그의 마음속에 온전히 사라지는 못한 채 여전히 남아 있다. 그런 행동에 노자는 동의하지 않는다.
그럼, 어떤 행동이 정말 진실로 바람직한 행동으로 여겨지는가? 노자에 따르면, 이는 사람들이 자신에게 남은 모든 원한이 없어지도록, 그렇게 해서 자신이 온전히 그 나쁨으로 고통을 당하는 것을 잊거나, 아니면 용서를 해서 온전히 잊도록 해야만 한다. 만일 사람들이 온전히 전체적 불화를 잊고, 그에 관련된 모든 것을 잊을 수 있을 때, 그때 그 마음속의 원한이나 복수심을 키울 동기가 더는 없어질 것이다.

第八十章 제80장

ĈAPITRO 80

小國寡民(소국과민)。
使有什伯之器而不用(사유습백지기이불용)。
使民重死而不遠徙(사민중사이불원사)。
雖有舟輿(수유주여)。
無所乘之(무소승지)。
雖有甲兵(수유갑병)。
無所陳之(무소진지)。
使人復結繩而用之(사인복결승이용지)。
甘其食(감기식)。
美其服(미기복)。
安其居(안기거)。
樂其俗(낙기속)。
鄰國相望(인국상망)。
雞犬之聲相聞(계견지성상문)。
民至老死(민지노사)。不相往來(불상왕래)。

인구가 적은 작은 나라.
수많은 기계가 있으나 쓰이지 않게 하고,
백성이 생명을 중히 여겨 멀리 이사 가는 일이 없도록 한다.
비록 배와 수레가 있어도 타는 일이 없고,
갑옷과 병기가 있어도 쓸 일이 없다.
사람들은 다시 노끈을 묶어 쓰게 하면,
음식을 달게 여기며 먹도록 하고,
옷을 아름답게 생각하며 입도록 하고,
거처를 편하게 생각하며 머물도록 하고,
풍속을 즐기도록 한다.
이웃 나라의 사람들이 서로를 바라볼 수 있고,
닭 우는 소리 개 짖는 소리가 서로 들리지만,
사람들은 늙어 죽을 때까지

서로 왕래하는 일이 없다.

Malgranda estu la regno, kaj malmultenombra la loĝantaro.
Eĉ se diversspecaj iloj estus disponeblaj, oni ilin ne uzu.
La popolo ne risku sian vivon, nek transloĝiĝu malproksimen.
Kvankam posedante ŝipojn kaj kaleŝojn,
Oni havu nenian bezonon veturi per ili.
Kvankam havante armilojn kaj armaĵojn,
Oni trovu nenian okazon ilin elmontri.
La popolo revenu al la epoko de la uzo de ŝnurnodoj por registri aferojn[1].
Tiam ili nutrus sin per bongustaj manĝaĵoj,
Vestus sin per belaj vestoj,
Loĝus en komfortaj domoj,
Kaj trovus siajn morojn ĝojplenaj.
Kvankam la homoj de najbaraj regnoj estus reciproke videblaj,
Kaj la krioj de iliaj kokoj kaj la bojoj de iliaj hundoj estus reciproke aŭdeblaj,
Tamen ili neniam vizitus unu alian ĝis ili mortus de maljuneco.

[1] En la pratempo antaŭ la invento de skribado oni registris aferojn per ŝnurnodoj por helpi al sia memoro.

1 원시시대에는 문자가 만들어지기 전에 사람들은 제 기억을 되살리기 위해 무슨 일이 일어나, 이를 기록하기 위해 노끈 매듭을 사용했다.

[해설]
이 장에서 노자는 고대 사회에 대한 자신의 존경과 자신의 유토피아(이상 국가 사회) -그 안에서 사람들이 물질적으로 또 도덕적으로 행복하게 살아갈 수 있는- 에 대한 그리움을 표현하고 있다. 노자는 그 고대 사회를 자신이 살아가는 시대를 비판할 목적으로 이상화한다.

[논평]
이 장에서 노자는 자신이 꿈꾸는 나라, 즉, 자신의 이상국(유토피아) -

나라 규모가 작고, 그 안에 사는 국민도 적은 나라- 을 설명하고 있다. 이 나라로써 그는 백성이 순박하면서도, 정직한 도덕심이 지배하던 고대 사회에 대한 존경을 표현했다. 그 고대국가에서는 사람들은 겉치레(허위의식), 술수, 속임(자극심)을 모른다. 백성은 잔혹한 착취나 폭정으로 인한 고통을 당하지 않는다. 사람들은 행복하게, 비록 부유하지는 않아도, 만족하게 살고, 상호 괴롭힘이나 걱정, 혼비백산함이 없이, 평화를 누릴 수 있었다. 한마디로 말해서, 이 유토피아 같은 이상국은 노자가 제시한 도의 성격에 온전히 맞는 나라이다.

第八十一章 제81장
ĈAPITRO 81

信言不美(신언불미)。
美言不信(미언불신)。
善者不辯(선자불변)。
辯者不善(변자불선)。
知者不博(지자불박)。
博者不知(박자부지)。
聖人不積(성인부적)。
既以爲人己愈有(기이위인기유유)。
既以與人己愈多(기이여인기유다)。
天之道(천지도)。利而不害(이이불해)。
聖人之道(성인지도)。爲而不爭(위이부쟁)。

진실한 말은 화려하지 않고,
화려한 말은 믿음이 없다.
선한 사람은 언변에 능하지 않고,
언변에 능한 사람은 선하지 않다.
진정으로 아는 사람은 박식함을 드러내지 않고,
박식함을 드러내려는 사람은 제대로 아는 사람이 없다.
성인은 재물을 쌓지 않는다.
남을 도와줌으로써 더욱 여유로워지고,
재물을 남에게 나누어 줌으로써 자신은 더욱 풍족해진다.
하늘의 도는 이롭게 할 뿐 해롭게 하지 않고,
성인의 도는 남을 위하지만 다투지 않는다.

La sincera parolo ne estas bela,
La bela parolo ne estas sincera.
La bona homo ne estas elokventa,
La elokventa homo[1] ne estas bona.

Tiu, kiu multe scias, ne elmontras sian erudicion,
Tiu, kiu penas elmontri sian erudicion, ne multe scias.
La Saĝulo[2] rezervas al si nenion.
Ju pli Li helpas laŭeble al aliaj, des pli multe Li posedas;
Ju pli Li donas laŭeble al aliaj, des pli riĉa Li fariĝas.
La Taŭo de la Ĉielo estas utila al ĉio kaj malutila al nenio.
La Taŭo de la Saĝulo estas konkuri kontraŭ neniu en ĉio, kion Li faras.

[1] T.e. la sofisto.
[2] Vd. noton 1 de ĉap. 2.

1 즉, 궤변론자를 말한다.
2 제2장 주1을 보라.

[해설]
이 장에서 노자는 그러한 모순 대립하는 사물들, -예를 들면, 진리과 가짜, 아름다움과 추함, 선과 악 등-, 그들의 표면 현상(겉)와 실질(속)의 불일치에 대하여 주목하면서 몇 가지 빛을 던진다.

[논평]
이 마지막 장의 거의 모든 문장은 인간의 생활 원칙과 행동 규칙에 대한 파라독스적 격언(格言)들로 채워져 있다; 그 격언들은 노자의 마르지 않는 현명함을 제대로 빛나게 한다. 그 격언들은 그의 고상한 인류애와 대인(大人)의 마음으로 충만되어 있다. **“성인은 재물을 쌓지 않는다. 남을 도와줌으로써 더욱 여유로워지고, 재물을 남에게 나누어 줌으로써 자신은 더욱 풍족해진다.”**
그렇다.
그런 현인이 바로 이 불멸의 저술의 저자인 노자이다. -현명하고 진실하고, 선의롭고, 박학다식하고, 모두에게 유용하면서도, 자신이 하는 모든 일에 있어 아무와도 다투지 않는 사람. (*)

(에스페란토 역자 후기)

关于这本书的世界语译本 이 에스페란토판에 대하여
Pri Tiu Ĉi Traduko Esperanta

作为中国人，我为我们的祖先给我们留下的丰富文化遗产而感到自豪。我是在中国文化的环境中长大的，从童年起我就一直热爱我们的中国传统文化和先秦至汉初的诸子的智慧，尤其喜爱老子和庄子。我一直有这样的想法：他们的智慧不仅属于中国人，而且也属于全人类，他们的著作应该有世界语译本。这就是我不畏困难敢于着手翻译这部极有价值的著作的缘由。

중국인으로서 나는 우리 조상이 남겨 놓은 중국의 이 풍부한 문화유산에 대해 자랑스럽습니다. 나는 중국문화 환경에서 자라나, 어린 시절부터 언제나 우리 중국 전통문화와, 진나라 시대부터 한나라 초기까지의 다양하고도 수많은 사상가나, 지도자들의 지혜, 특히 노자와 장자 사상에 심취해 있었습니다. 나는 언제나 그분들의 지혜는 우리 중국인뿐만 아니라, 전 인류에 속해 있다고 생각하며, 그 선현들의 저술들도 당연히 에스페란토 번역본을 가질 필요가 있다고 생각합니다. 이것이, 감히 내가, 상당한 난관에도 불구하고, 이 귀중한 책 번역에 착수한 이유입니다. 에스페란토로 번역하면서 나에게는 수많은 문제가 생겨났습니다. 그 중 첫째가 당시의 중국 고전어와 에스페란토 사이의 문법구조 차이였습니다. 둘째가 두 문화의 차이였습니다. 이름하여 중국문화와 서양문화(내 의견으로는 에스페란토 역시 서양 문화어라는 점에 어느 정도 일치한다고 보인다)입니다. 셋째가 원전이 고대의 것인 점입니다. 이 저술은 2,000년도 훨씬 더 된 옛날에 책으로 만들어졌으니, 이 저술은 골머리를 싸매게 하는 옛 낱말들, 의심스런 낱말들과 표현들로 가득 차 있었습니다. 넷째의, 또 다른 문제이자 가장 큰 문제는 원전의 난해함이었습니다. 아무 과장없이 말하건대, 모든 중국 고전작품 중 **『老子道德經(노자도덕경)』**（*La Libro de Laŭzi)* 이 가장 어렵게 읽혔습니다. 그 이유는, 한편으로, 이 저술은 아주 깊고 깊은 철학 문제를 다루고 있고, 다른 면에서, 아주 박식한 문체로 씌였기에 또 때로는 여러 함의를 갖고 있기에, 또 그렇게 이 책은 만일 그들이 상당히 권위 있는 주석과 해설이 담긴 이 저술의 다양한 사전과 다양한 판본에 의지하지 않으면, 여전히 일반 독자들이나 비전문 학식인에게조차도 신비로운 채로 남을 것입니다.

Mi, kiel ĉino, tre fieras pri la ĉina riĉa kultura heredaĵo, kiun postlasis al ni niaj prapatroj. Mi elkreskis en la medio de la ĉina kulturo, kaj ekde mia infanaĝo mi ĉiam amas nian ĉinan tradician kulturon kaj la saĝecon de la majstroj de la diversaj pensoskoloj dum la periodo de la antaŭ-Qin-dinastia periodo ĝis la fruaj jaroj de Han-dinastio, precipe tiun de Laŭzi kaj Ĝŭangzi. Mi ĉiam havas la opinion, ke ilia saĝeco apartenas ne nur al la ĉinoj, sed ankaŭ al la tuta homaro, kaj iliaj libroj devus havi sian Esperantan tradukon. Jen kial mi aŭdace entreprenis la tradukadon de tiu ĉi valorega libro malgraŭ granda malfacileco.

在我把这部书译成世界语的过程中，我遇到了许多困难。第一，是汉语和世界语结构之间的差异；第二，是两种文化即中国文化和西方文化（我认为在某种程度上世界语通常被看作是西方文化的语言）之间的差异；第三，是原文的古奥难懂，由于原文在两千多年以前就已成书，因而书中有很多难以理解的古语和含义模糊的词语；第四，同时也是困难中最大的，是原文内容的艰深。可以毫不夸张地说，在所有古代典籍中《老子》是最难读懂的一本书，因为，一方面它论述的是非常深奥的哲学问题，另一方面，它是用十分简约含混的文体写成的，因此，它对普通读者从来就是十分难懂的，即使是非专业的学者，如果不查阅可靠的词书和参阅带有足够注释和评论的本书的各种版本，也是看不懂的。

由于这部著作是用文体高雅的散文诗的形式写成的，因此要在译文中完全保存原文的内容同时又保存原文的优美的形式，几乎是完全不可能的。我认为，如果译者把同样的注意力同时放在形式和内容上，势必要丢失一些内容的细节。《老子》是哲学著作，而不是纯文学的作品：它的价值主要在于深奥的哲学内涵，因而译者的任务首先是传达原文的思想。因此，我在翻译这本书的时候遵循了以下原则：第一，我力求尽最大可能用流畅的世界语传达出原文的全部内容，同时尽可能地保留它的艺术价值；如果在一些场合下这样的努力不能奏效，我就不得不牺牲形式以保留内容。第二，在外国读者能够读懂的前提下，我采用直译；在可能产生误解的情况下，我就采用意译。有时同样的概念或词语在不同的上下文中采用不同的译法，例如，汉语的“无为”译成“senagado”，“nenia agado”，“ne agi”和“fari nenion”。

在按句翻译不足以表达句意的场合，则采用解释性的译法。第三，为了使读者易于理解，我在每章的译文前加上简短的提要并在难懂的地方加上注释，还在正文和注释后加上我本人写的评析。

왜나하면, 이 저술은 시나 산문의 형식으로 고급스타일로 씌였기에, 이를 번역함에서는 그 원래의 내용을 온전히 보전하면서도 동시에 아름다운 문체를 유지함은 거의 불가능했습니다. 그래서 나는, 만일 이 번역자가 형식과 내용에 똑같은 대단한 주의력을 갖춘다면, 그 내용 중 몇 가지 상세함은 어쩔 수 없이 잃을지도 모른다고 보았습니다.

『老子道德經(노자 도덕경)』(La Libro de Laŭzi)은 미학 서적이라기보다는 철학 서적이기에 그 위대한 가치는 주로 그 깊은 철학적 내용에 달려 있기에, 따라서 번역자 임무는, 무엇보다도 먼저, 원전의 사상을 제대로 전달함에 있다고 보았습니다. 그렇기에, 이 책을 번역하면서 나는 다음의 원칙을 세웠습니다: 먼저, 원전 내용을 가능한 한 제대로 잘 살려, 에스페란토 문장으로 만들려고 노력했고, 원전의 예술성을 가능한 보전하려고 했고, 만일 몇 군데서 그런 노력이 성공하지 못했다 하더라도, 나는 형식보다 내용에 충실할 결심을 했습니다.

둘째, 다른 나라 독자들이 이해하기 쉽도록, 낱말에 따른 번역을 취했습니다; 몇 가지 경우, 만일 오해가 생길 수 있는 경우에는, 나는 자유로운 번역 입장을 취했습니다. 어떤 경우에는, 같은 개념이나 표현이 다른 함의를 가진 다른 개념이나 표현으로 번역되기도 했습니다, 예를 들어. “무위senagado”, “아무 것도 하지 않음nenia agado”, “행동하지 않음ne agi” 또한 “아무 것도 하지 않음fari nenion” 이 중국어 표현 “무위(無爲, wuwei)”를 그렇게 옮겼습니다. 어떤 경우에는, 문장에 따른 번역이 제 뜻을 싣기에 부족한 경우에는 나는 설명을 이용했습니다.

셋째, 독자가 읽기 편하도록, 나는 매 장의 원문을 번역한 뒤, 요약과 잘 이해되지 않은 낱말에 대한 주서를 달아 두고, 내용의 하단에는, 주석 뒤, 각 장에 역자인 내가 직접 쓴 ‘해설과 논평’(komento)을 붙였습니다.

Ĉar tiu ĉi verko estas altastile skribita en formo de poemo en prozo, tial estas preskaŭ tute neeble plene konservi ĝian enhavon kaj samtempe ĝian belan formon en la traduko. Laŭ mi, se la tradukanto donus same grandan atenton kaj al la formo kaj al la enhavo, kelkaj detaloj de la enhavo estus neeviteble perditaj. *La Libro de Laŭzi* estas ja verko pli filozofia ol beletra: ĝia granda valoro kuŝas ĉefe en ĝia profunda filozofia enhavo, sekve la tasko de la tradukanto devas antaŭ ĉio komuniki la pensojn de la originalo. Tial, tradukante tiun ĉi libron mi sekvis la jenajn principojn: Unue, mi penis kiel eble plej plene komuniki la enhavon de la originalo en flua Esperanto kaj kiom eble konservi ĝian artan valoron kaj, se kelkokaze tia peno ne sukcesis, mi estis devigita oferi la formon al la enhavo. Due, kondiĉe ke la alilandaj legantoj povu kompreni, mi faris laŭvortan tradukon; en kelkaj okazoj, se miskompreno povus okazi, mi min turnis al la libera traduko. Iafoje samaj konceptoj aŭ esprimoj estis tradukitaj en malsamaj manieroj en malsamaj kuntekstoj, ekz. “senagado”, “nenia agado”, “ne agi” kaj “fari nenion” estis uzataj por la ĉinlingva esprimo “wuwei”. En la okazoj, kiam laŭfraza traduko estis nesufiĉa por esprimi la signifon, mi uzis klarigojn. Trie, por faciligi al la legantoj la komprenon, mi metis resumeton supre de la traduko de la teksto de ĉiu ĉapitro kaj notojn pri malfacile-komprenaĵoj, kaj malsupre de la teksto, post la notoj, mi aldonas komenton de mi verkitan al ĉiu ĉapitro.

《老子》有许多不同版本，其中主要有马王堆汉墓《老子》、东汉（公元25—220）河上公《老子章句》和魏（公元220—265）王弼《道德经注》。我的译文以《道德经注》为主要依据（我认为这一版本比较可靠），并参考《老子章句》。

『老子 道德經(노자 도덕경)』(La Libro de Laŭzi)은 다양한 원전이 있지만, 그 중 주요한 것은 허난성 장사(Changsha)의 마왕퇴(馬王堆)의 묘에서 발굴된 **『老子(노자)』**, 동한(東漢, 25-220)시대의 하상공(河上公) 주석이 달린 **『老子章句(노자장구)』**, 위(魏, 220-265)나라 때 왕필(王弼) 주석을 붙인 **『道德經注(도덕경주)』**니다. 제 번역본은 주로 맨 나중의 책에 기본으로 삼았습니다. 그 셋째 본은, 둘째 책을 참고하였기에, 다른 판본보다 더 믿을 만합니다.

Ekzistas tre multaj versioj de *La Libro de Laŭzi*, el kiuj la ĉefaj estas *La Sursilkaj Tekstoj de La Libro de Laŭzi* eligitaj el la Han-dinastia Tombo en Mawangdui de Changsha en Hunan-provinco, *La Libro de Laŭzi Komentariita de Heshang Gong* de la Orienta Han-dinastio (25—220 p.K.), kaj *Dao De Jing Prinotita de Wang Bi* de Wei-dinastio (220—265 p.K.). Mia traduko sin bazas ĉefe sur la tria, kiu miaopinie estas pli fidinda ol la aliaj, kun referenco al la dua.

为了更确切地理解原文并用世界语把意思准确地表达出来，我在翻译过程中还参考了这部著作的各种现代汉语译注的版本和许多英文和法文的译本，但是尽管如此，我还是要请求读者原谅，由于我个人的能力有限，译文中不可避免地会产生一些不当和错误之处。然而，如果读者认为这本书值得阅读，那不是我的功劳：是作者的伟大智慧给与这部书以不可抗拒的魅力。

이 번역본을 준비하면서, 나는 현대 중국어로 주석과 해설이 담긴 원전의 다양한 판본을 참고하고, 더 자세히 이해하려고, 또한 에스페란토로 더 잘 표현하기 위해 수많은 영어 번역본과 프랑스어 번역본을 읽었습니다.

하지만 그럼에도 나는 내 지식의 한계로, 불가피하게 적절하지 못한 표현과, 번역상 오류로 인해 독자 여러분께 용서를 구합니다. 하지만, 만일 독자 여러분이 이 책이 읽을만하다고 여긴다면, 이 가치는 나의 번역작업 때문이 아니라, 그러한 포기할 수 없는 매력을 가져다준 저 노자(老子)의 위대한 지혜 때문입니다.

Preparante tiun ĉi tradukon, mi konsultis diversajn eldonojn de la originalo kun notoj kaj komentarioj de moderna ĉina lingvo kaj multajn angla- kaj franclingvajn tradukojn, por pli precize kompreni la originalon kaj pli bone esprimi ĝin en Esperanto, sed malgraŭ tio mi devas peti pardonon de la legantoj pro mia limigita kapablo, kiu neeviteble kaŭzis neĝustaĵojn kaj erarojn en mia traduko. Sed, se legantoj trovus tiun ĉi libron leginda, la merito ne estus mia: estas la granda saĝeco de la aŭtoro, kiu donas al la verko tian nerezisteblan ĉarmon.

译者 역자 올림

La tradukinto

국내 『老子道德經(노자도덕경)』 번역에 대한 간략한 소개

"우리나라에 도가사상이 전래된 것은 삼국시대입니다. 기록에 따르면 고구려에는 624년(영류왕 7)에 들어왔고, 신라와 백제에도 그 무렵을 전후하여 유입되었습니다. 우리나라에서는 도가사상이 신도사상(神道思想) 내지는 선도사상(仙道思想)으로 대표되는 민족 고유사상과 자연 풍류사상의 바탕 위에서 도교와 분명한 구분 없이 혼합된 형태로 받아들여 이해되어 왔습니다.[3]

도교(道教)와 『老子道德經(노자도덕경)』의 개요가 고구려에 전해진 것은 영류왕(榮留王) 때이다. 고구려는 이미 오두미교(五斗米教)가 성행하였고, '도교적' 문화전통이 있었습니다. 고구려에 전달된 도교는 노자의 무위정치 철학이었습니다.

정변을 일으킨 연개소문(淵蓋蘇文)은 권력의 정당성을 확보하기 위한 수단으로 도교의 수입에 적극적이었습니다. 유교와 불교 세력을 견제하여 사상적 균형을 도모하기 위한 수단이었다. 이때 들어온 『노자도덕경』은 왕필(王弼)의 주석본이었습니다.[4]

고려와 조선시대를 거쳐 오면서 『노자도덕경』에 유학자들이 관심을 보였왔음은 <일러두기>에서 이미 적은 바 있습니다.

20세기 한국에서 최초 번역된 신현중의 『국역 노자』 (韋郞 愼弦重 著, '國譯老子'(靑羽出版社, 1957)에서부터 최근의 번역본들에 이르기까지 다양한 번역본 중 다석 유영모, 김용옥, 김홍경의 번역, 이 3가지 번역본이 20세기 한국에서 이루어진 '노자' 번역의 세 가지 조류를 대표하는 것으로 보았습니다.[5]

20세기 한국에서 번역된 '노자'는 50년대 2종, 60년대 2종, 70년대 14종, 80년대 21종, 90년대 31종, 2000~2003년까지 23종이나 됩니다.

1950년대의 것으로는 신현중의 '국역 노자'(1957)와 유영모의 '늙은이'(1958)가 있는데, 이 가운데 신현중의 것은 최초의 완역 '노자'로서 인쇄되어 단행본으로 출간되었습니다. 하지만, 유영모의 것은 등사본 형태로 특정 집단 내부에서 유통된 것입니다.

이후 '노자'의 번역은 70년대에 갖가지 사상 전집류에 포함되어 번역되기 시작하면서 수적으로 급증하게 된다.[6]"

2023년 여기에 저희 공동번역자들의 작품 『老子道德經(노자도덕경)』을 현대국어와 에스페란토 번역본으로 선보이고, 독자 여러분의 손길을 기다립니다.

처음부터 끝까지 완독하면서, 이 고전강독을 통해 21세기를 살아가는 독자 여러분이 노자의 지혜를 얻기를 기대해 봅니다. (*)

---

3) 역주:https://encykorea.aks.ac.kr/Article/E0015473.
4) 역주: https://kiss.kstudy.com/Detail/Ar?key=3745266(고구려의 도교(道敎)와 『노자도덕경(老子道德經)』 수용(Acceptance of Goguryeo's Taoism and 『Laotzu Taoteching』),박승범(Park Seung-bum), 한국고대학회 2019.
5) 역주: 김갑수, '한국 근대에서의 도가 및 제자철학의 이해와 번역', '시대와 철학' 제14권 2호(한국철학사상연구소, 2003 가을호); 김갑수, '1960년대 이후 도가 및 제자철학 원전 번역에 대한 연구', '제25회 (사)한국철학사상연구회 학술발표회 자료집', 257~280쪽 참조.
6) 역주: http://egloos.zum.com/owlpark/v/5988078(<오늘의 동양사상> 2004, 가을호, 「고전번역의 현주소ㅡ노자」 <고전번역의 현주소> 역사성과 보편성의 사이에서ㅡ우리 시대 <노자> 번역을 돌아보며).

『老子道德經(노자도덕경)』 에스페란토 번역본의 매력[7]

김형근(Nomota)

먼 과거의 지혜를 배워서 오늘날의 삶에 적용하는 것은 즐거운 일이다. 더군다나 그게 에스페란토를 통해서 이뤄지면, 동서양 및 고금의 지혜가 조화를 두루 이루는 일이 아닐까 싶다.

고백하자면 필자는, 도올 김용옥 선생이 예전에 『東洋學 어떻게 할 것인가?』(1985)를 필두로 하여 다양한 고전 해석 및 노자 철학에 대한 해석을 내놓을 때마다, 노자를 제대로 읽어 봐야겠다는 생각을 해 왔었다. 대학 다닐 때는 도올의 『老子哲學 이것이다』(1989)를 읽고 그 뜻을 헤아려 보려고 무척 애를 썼던 것이 사실이지만, 당시 기억으로는 뭔가 알듯 모를 듯한 해석 때문에, 당최 읽기는 했으나 뜻을 음미하는 것과는 거리가 멀었다.

그러다 도올이 TV에 나와서 도덕경 강의를 할 즈음에, 인터넷에서 인터넷 논객 중에 '구름'(본명 이경숙)의 신랄한 비판과 전혀 다른 해석을 접하고는, 『老子道德經(노자도덕경)』이라는 것이 역사적으로 해석상에 있어 매우 논란이 많은 책이라는 수준에서 잠시 거리를 두고 봐야겠구나 싶은 생각만 가지고 있었다.

그런데 지난해 여름 베트남 하노이 세계에스페란토대회 행사장의 도서판매 코너(Libro Servo)에서 또 『老子道德經(노자도덕경)』을 만났다. 그 순간은 더 이상 피할 수 없는 순간이라고 느꼈다. 이 책을 한번 제대로 읽긴 읽어야 할 운명이구나 싶어서 아무 고민 없이 책을 집어 들었다.

『老子道德經(노자도덕경)』이 기록되던 춘추전국시대의 고대 중국 문어체로 기록되었을 뿐만 아니라, 매우 함축적인 표현 때문에 다양한 해석이 존재하고, 각 해석이 치열하게 서로 옳은 해석이라고 경쟁하는 상황에서, 에스페란토로 이를 비교해 한 번 더 읽으면, 진짜로 그 의미를 잘 이해할 수 있을 것이라는 생각이 들었기 때문이다.

중국 에스페란티스토 왕숭방(Wang Chongfang: 1936~)선생님이 에스페란토로 번역한 이 책 『老子道德經(노자도덕경)』의 구성은 이렇다. 간략하게 『老子道德經(노자도덕경)』을 둘러싼 역사, 도덕경의 기본 개념 설명 등을 에스페란토와 현대 중국어로 소개하고, 모두 81장(5천여자)에 해당하는 장별로 에스페란토 설명/해석/주해, 고대 중국어 원문, 현대 중국어 설명/해석/주해를 순서대로 담고 있다.

초급 수준의 중국어 실력으로, 중국어로 된 해석문과 에스페란토를 비교해서 보는 것 외에, 인터넷에서 장별 해당 문장들을 우리말로 어떻게 해석하는지를 비교해서 살펴보니, 드디어 2천500년 전의 노자가 살아나서 호통치는 소리가 들리는 듯하다.

대학 시절에 그렇게 이해하려고 애썼던 그 노자는 이제 온데간데없고, 내 눈에는 전혀 다른 노자 할아버지가 나타나신 것이다.

'**무위자연(無爲自然)**'이라는 표층적인 표현에 사로잡혀서 한없이 무력하고 허약해 보였던 노

7) 역주: <Lanterno Azia>(한국에스페란토협회 기관지 통권 295호(2013년 1월호)에 실린 글. 필자는 컴퓨터 전문가. 한국에스페란토협회 기관지 편집위원.

자는 더 이상 내 곁에 없고, 매우 엄격하고 단호하게 통치자로 하여금 철저함을 요구하면서 눈을 부릅뜨고 있는 대선배 노자가 보일 뿐이다.

에스페란토, 고대 중국어, 현대 중국어, 인터넷에 게재된 한국어 번역들을 두루 대조해 보면서 읽다보면, 다양한 해석상의 차이에도 불구하고 결국 노자 할아버지가 전하려고 하는 분명한 메시지는 어쨌든 읽히는 것이 신기하다.

여러 번역본을 비교하다 보니, 에스페란토로 번역한 역자의 수고로움도 같이 보인다. 한자로 표기되면 설명되지 않는다 할지라도 어떤 뉘앙스가 전달되는데, 그런 문화적 공통점이 없는 낯선 유럽 언어로 번역하다 보니, 많은 뉘앙스가 사라지는 게 좀 아쉬운 면도 많이 보인다. 유럽인 입장에서 중국어 번역 및 우리말 대조가 없는 순수히 에스페란토 부분만 읽는다면 "이게 무슨 소린고...?"하는 의문이 들만한 부분이 여러 군데 보이지만, 딱히 그보다 더 좋은 대안도 생각이 안 나니, 유럽 친구들에겐 아마 재미가 없게 보일 지도 모르겠다는 생각이 든다.

'上善若水(상선약수)' - 물과 같은 것이 최상의 선인 것은, 물은 자기 색깔을 드러내려고 하지도 않고 항상 포용적이며, 장애물을 만나면 돌아가며, 항상 낮은 데로 향하는 그런 것이기 때문이다. "Guto malgranda, sed ŝtonon ĝi boras!"라고 얘기할 때의 물도 강함을 표현하는 방편으로 사용되었지만, 전혀 다르게 강한 것을 표현한다는 것이 느껴진다.

에스페란토 번역문은 심오한 철학을 담고 있음에도 불구하고, 비교적 쉬운 표현과 쉬운 문체로 번역되어 있어서, 쉽게 읽히는 점은 매우 감사하다. 에스페란토 번역이 먼저 배치되고 고대 원문 및 현대 중국어 순으로 나열된 점은, 읽는 이로 하여금 동서양과 고대 현대의 생각이 어떻게 연결되는지 호기심을 자극하며 매번 한 글자 한 글자를 찾아보며 글자들을 곱씹으며 읽게 하는 매력이 있다.

참고로 20여 년 전 대학 시절에는 일일이 옥편을 찾아 한자를 읽어내는 것이 여간 고역이 아니었는데, 21세기에는 스마트폰이 매우 빠르게 한자를 찾아 주니, 초급수준의 중국어 실력으로도 훨씬 이해도가 높아진 것 같다.

스마트폰에서 설치할 수 있는 <Pleco>라는 앱은 손으로 쓰는 필기 인식이 되는 중국어 사전 앱이다. 이 앱을 이용하면, 중국어(한자)를 쉽게 찾고 검색할 수 있다. 낱낱의 글자들이 갖는 원래의 중국어 뜻을 이해하는 데 크게 도움이 된 소프트웨어이다.

<Dao De Jing> de Laŭzi estas unu el la plej antikvaj filozofiaj verkaĵoj en la ĉina historio. <Dao De Jing> estas rigardata de multaj homoj kiel mistera libro pro la tre densa sed mallonga stilo kaj mult-senceco de la esprimoj.

Multaj homoj provis kompreni kaj interpreti ĝin laŭ sia propra vidpunkto - ne nur filozofoj, sed poetoj, muzikistoj, kuracistoj kaj modernaj sciencistoj.

Ekde mia universitataj jaroj, mi plurfoje provis ellegi kaj kompreni ĉi tiun filozofian verkaĵon, tamen ĝi estis ekster mia kapablo por kompreni. Tute ne-atendite mi trafis ĉi tiun esperantan version ĉe la libroservo en Hanoja UK. Tiam mia koro denove batis, kaj mi sen ajna hezito elektis ĝin por tralegi - en nia verda lingvo! Ho kiom bele estus kompreni la pra-antikvan klasikaĵon en la okcidenta lingvo.

La libro skize donas esperantan klarigon pri la historio, pri kerno de la <Dao De Jing> filozofio, kaj pri la mistera filozofo <Laŭzi>. Sekvas laŭ-ĉapitra klarigo - ĉiu ĉapitro enhavas Esperantan enkondukon, Esperantan tradukon, kaj Esperantan klarigon. Tute feliĉe por mi, ĉiu ĉapitro ankaŭ havas ĉin-lingvajn versiojn kaj en la antikva skribo kaj en la moderna mandarino. Mi komparante la tri lingvojn kun korea traduko (kiu troviĝas abunde en la interreto), mi povis ĉi-foje absorbi la praantikvaĵon tute profunde. ♧